少年儿童成长知识库

人生格言

付莹莹　主编

中国戏剧出版社

少年儿童成长知识库

主编:付莹莹

中国戏剧出版社出版

(北京市海淀区北三环西路大钟寺南村甲 **81** 号)

(邮政编码:**100086**)

新华书店北京发行所　经销

北京市书林印刷装订厂　印刷

2000 千字　**850×1168** 毫米　**1/32** 开本　**180** 印张

2003 年 **7** 月第 **1** 版 **2003** 年 **7** 月第 **1** 次印刷

印数:**1-5 000** 册

ISBN7–104–01781–X/G·90

(全套 **20** 册)定价:**200.00** 元

前　言

　　古往今来，无数中外名人不但为人类文明的发展和社会的进步作出了杰出的贡献，同时他们也在认真理解和思考生活的基础上，留下了许许多多的格言警句。这些格言浓缩了人类几千年来积累的文化、智慧，具有使人明智、催人上进的非凡魅力。

　　对于人生阅历尚浅的少年朋友来说，积极引导和帮助他们树立正确的人生观、价值观是至关重要的。我们经过收集和精心筛选，编纂了这本《人生格言》，希望少年朋友们在阅读了这本书后，能够学会怎样生活、怎样做人、怎样奋斗，并在实践中对于人生不断作出新的、更为深刻地理解。

编　者

目　录

道德篇

奋斗篇

治学篇

修身篇

目 录

人生篇

人生·价值

　　一个人光溜溜地来到这个世界上，最后光溜溜地离开这个世界而去，彻底想起来，名利都是身外事。只有尽一人的心力，使社会上的人多得他工作的裨益，是人生最愉快的事情。

　　　　　　　　　　　　邹韬奋:《韬奋文集》第一卷

　　作为一个人，要是不经历过人世的悲欢离合，不跟生活打过交手仗，就不可能真正懂得人生的意义。

　　　　　　　　　　　　杨朔:《〈海市〉书后》

人只有献身于社会，才能找出那短暂而有风险的生命的意义。

爱因斯坦

人禀天地之德，五行之秀，所以为人。故人之德有五——仁义礼智信，人之伦亦有五——父子、君臣、夫妇、长幼、朋友。以人之德，行于五者人伦之间，各尽其分，乃所谓奉天命，立人道也。

许衡：《大学要略》

做人也要像蜡烛一样，在有限的一生中有一分热发一分光，给人以光明，给人以温暖。

肖楚女

生命的长短用时间计算，生命的价值用贡献计算。

贝多芬：《在人生的斜坡上》

路是脚踏出来的，历史是人写出来的。人生每一步行动都在写自己的历史。

吉鸿昌

人生世上如岁月之有四时，必须要经过这纯熟时期……须知秋天的景色，更华丽，更恢奇，而秋天的快乐有万倍的雄壮、惊奇、瑰丽。

林语堂：《秋天的况味》

人生在世不会总是一帆风顺和美妙动人的。

苏霍姆林斯基：《给儿子的信》

只有能够像驾驭生马一样控制自己的自尊心，牺牲自己的小我来为大我谋福利的人,才配得上人的称号。

屠格涅夫:《罗亭》

一个人的价值,应当看他贡献什么,而不应当看他取得什么。

爱因斯坦:《论教育》

人不能像走兽那样活着,应该追求知识和美德。

但丁:《神曲》

世界上最强有力的人是最有独立精神的人。

易卜生:《国民公敌》第五幕

凡是以追求自己的幸福为目标的人,是坏的;凡是以博得别人的好评为目标的人,是脆弱的;凡是以使他人幸福为目标的人,是有德行的。

列夫·托尔斯泰

人,在最完美的时候是动物中的佼佼者,但是,当他与法律和正义隔绝以后,他便是动物中最坏的东西。

亚里士多德:《政治学》

一个男人应该引人注目的地方不是他的马也不是其他的饰物,而是他的人品。

巴尔扎克:《两个新嫁娘》

愚人追寻快乐于远方;智者却把它种植在脚下。

詹姆士·奥本海姆

人赤身裸体、手无寸铁地来到这个世界,仿佛大自然安排他成为社会的动物,规定他在公正的法律下和平地生活;好像大自然要他受理性指引而不是受武力驱使,所以大自然赋与他智慧,给他双手,希望他能够制造出御寒和自卫必需的东西。

威廉·哈维:《动物生殖》

一个人在世界上受到重视和轻视,取决于他的行动,取决于他自己。

泰戈尔:《五卷书》

人是唯一知道羞耻和有必要知道羞耻的动物。

马克·吐温:《傻瓜威尔逊的新日记》

人在智慧上应当是明豁的,道德上应该是清白的,身体上应该是洁净的。

契诃夫

历史认为那些专为公众谋福利从而自己也高尚起来的人物是伟大的。经验证明,能使大多数人得到幸福的人,他本身也是最幸福的人。

马克思

爱是阳光;恨是阴影,人生是光影的交错。

朗费罗:《海华沙之求爱》

人的一生就是进行尝试,尝试得越多,生活就越美好。

爱默生《日记》

人生最苦痛的是梦醒了无路可以走。做梦的人是幸福的。

鲁迅:《坟·娜拉走后怎样》

我觉得人生求乐的方法,最好莫过于尊重劳动。一切乐境,都可由劳动得来;一切苦境,都可由劳动解脱。

李大钊:《现代青年活动的方向》

避苦求乐,是人性的自然,背着自然去做,不是勉强,就是虚伪。这忍苦的人生观,是勉强的人生观,虚伪的人生观。即求乐的人生观,才是自然的人生观,真实的人生观。我们应该顺应自然,立在真实上,求得人生的光明,不可陷入勉强、虚伪的境界,把真正人生都归幻灭。

李大钊:《现代青年活动和方向》

假如生命是无味的,我不要来生。假如生命是有趣的,今生已是满足的了。

冰心:《人生絮思》

我是春蚕,吃了桑叶就要吐丝,哪怕放在锅里煮,死了丝还不断,为了给人间添一点温暖。

巴金:《春蚕》

受苦是考验,是磨练,是咬紧牙关挖掉自己心灵上的污点。

巴金:《人民与我》

如果把人生比之为杠杆,信念则好像是它的"支点",具备这个恰当的支点,就可能成为一个强而有力的人。

薄一波:《寄语青年朋友》

年轻人,不怕别人看不起,就怕自己不争气。

朱伯儒:《心灵这样沟通·致龚尹平》

人生读来几乎像一首诗。它有自己的韵律和节奏,也有生长和腐坏的内在周期。

> 林语堂:《人生像一首诗》

任何人都要犯错误,人从降生的那一天起,便不断的犯错误,只有在不断的犯错误,不断的碰钉子的过程中,才能逐渐懂得事情。

> 刘少奇:《人为什么犯错误》

水火有气而无生,草木有生而无知,禽兽有知而无义,人有气有生有知且有义,故最为天下贵也。

> 荀况:《荀子·王制篇》

最困难的职业就是怎样为人。

> 何塞·马蒂:《我们为什么活着》

人一辈子都在高潮低潮中浮沉,唯有庸碌的人,生活才如死水一般。

> 傅雷:《傅雷家书》

人有三成人:知畏惧,成人;知羞耻,成人;知艰难,成人。

> 《元史·抄思传》

人在世上越离开尘俗,越接近自己,就越幸福。

> 卢梭:《1764年12月4日的信》

意外的幸运会使人冒失、狂妄,然而经过磨炼的幸运却使人成为伟器。

> 培根:《论幸运》

没有战胜过困难,没有负过重荷的人,不能成为真正的人。

苏霍姆林斯基:《家长教育学》

人的生命似洪水奔流,不遇到岛屿和暗礁,难以激起美丽的浪花。

奥斯特洛夫斯基:《钢铁是怎样炼成的》

只要你有一件合理的事去做,你的生活就会显得特别美好。

爱因斯坦

人生好比两瓶必要喝的啤酒,一瓶是甜蜜的,一瓶是酸苦的,先喝了甜蜜的,其后必然是酸苦。

萧伯纳:《六十自述》

几乎可以这样说:最优秀的人物通过痛苦才得到欢乐。

贝多芬

谁能比这种人更痛苦呢,他们人虽在世,却已亲身参加了埋葬自己名声的丧礼?

培根:《随笔集·论死亡》

谁经历的苦难多,谁懂得的东西也就多。

荷马:《奥德修纪》

不管你预备走哪一条路,顶顶要紧的是先要为自己做好准备,你不能赤手空拳地开始你的行程,你必须用知识把自己武装起来,你必须锻炼出健壮的身体和足够的勇气。

宋庆龄:《什么是幸福》

对于我来说,生命的意义在于设身处地替人着想,忧他人之忧,乐他人之乐。

爱因斯坦

人最宝贵的东西是生命。生命属于个人只有一次。一个人的生命是应当这样度过的:当他回首往事的时候,他不会因为虚度年华而悔恨,也不会因为碌碌无为而羞耻。这样,在临死的时候,他就能够说:"我整个的生命和全部的精力,都贡献给了世界上最壮丽的事业——为人类的解放而斗争!"

奥斯特洛夫斯基:《钢铁是怎样炼成的》

只有两种生活方式:腐烂或燃烧。

高尔基:《时钟》

生命是每一个人所重视的:可是高贵的人重视荣誉远过于生命。

莎士比亚:《特洛伊罗斯与克瑞西达》

上天生下我们,是要把我们当作火炬,不是照亮自己,而是普照世界。

莎士比亚:《一报还一报》

人的一生是短暂的,但如果卑鄙地过这短暂的一生,那就太长了。

莎士比亚:《莎士比亚悲剧选》

人生的一切变化,一切魅力,一切美都是由光明和阴影构成的。

列夫·托尔斯泰:《安娜·卡列尼娜》

人生里有价值的事,并不是人生的美丽,却是人生的酸苦。

哈代:《德伯家的苔丝》

悲伤过度会笑,欢乐过度会哭。

布莱克:《天堂与地狱的婚姻》

生活不是一条人工开凿的运河,不能把河水限制在一些规定好了的河道内。

泰戈尔:《戈拉》

人生不是一种享乐,而是一桩十分沉重的工作。

列夫·托尔斯泰:《初期回忆》

一个人活着就应该扪心自问,我们到底应该怎样度过一生,这是一个合情合理的问题,也是一个非常重要的问题。在我看来问题的答案应该是:在力所能及的范围内尽量满足所有人的欲望和需要,建立人与人之间和谐美好的关系。这就需要大量自觉思考和自我教育,不容否认,在这个非常重要的领域里,开明的古代希腊人和古代东方贤哲们所取得的成就远远超过我们现在的学校和大学。

爱因斯坦:《谈人生》

如果你过分地珍爱自己的羽毛,不使它受一点损伤,那么你将失去两只翅膀,永远不能凌空飞翔。

雪莱

谁要是游戏人生,他就一事无成;谁不能主宰自己,就永远是一个奴隶。

歌德:《人生就是奋斗》

欢乐像露珠一样命薄,它在自己的笑声中消亡。

泰戈尔:《园丁》

人生有三大难:第一难是赢得荣誉;第二难是在世一天保持一天的荣誉;第三难是死后留下个好名声。

本·罗·海登:《席间闲谈》

值得注意的是,人心中的各种情感,无论多么软弱无力,没有一种是不能克服对死亡的恐惧的。既然一个人身旁有这样多侍从,都能打败死亡,可见死亡不算是那样可怕的敌人。复仇之心胜过死亡;爱恋之心蔑视死亡;荣誉之心希冀死亡;忧伤之心奔赴死亡;恐怖之心凝神于死亡。

培根:《论死亡》

在人生的前半,有享乐的能力而无享乐的机会;在人生的后半,有享乐的机会而无享乐的能力。

马克·吐温:《赤道环游记》

苦难是人生的老师。

巴尔扎克:《高老头》

死生,天地之常理,畏者不可以敬免,贪者不可以敬得也。

欧阳修:《唐华阳颂》

人好像河流,河水都一样,到处相同,但每一条河都是有的地方河身狭窄,水流湍急,有的地方河身宽阔,水流缓慢,有的地方河水清澈,有的地方河水浑浊,有的地方河水冰凉,有的地方河水温暖。

列夫·托尔斯泰:《复活》

青年时代是人的一生中体力和精力最充沛的时候,青年具有着战胜一切困难的最大勇气。

安子文:《千锤百炼改造自己》

青年人没有不栽几个筋斗的,没有不碰几个钉子的。碰了钉子后,不要气馁。

周恩来:《周恩来选集·学习毛泽东》

青年贵能自立,尤贵能与老人协力;老人贵能自强,尤贵能与青年调和。

李大钊:《青年与老人》

记住,死就是一个伟大的搬家日!

安徒生:《迁居的日子》

我们要努力把一生好好地度过,等到死的时候,那就连殡仪馆的老板也会感到惋惜。

马克·吐温:《傻瓜威尔逊》

人的童年过得十分缓慢,好像满载的货车;老年的岁月转瞬即逝,犹如夜空的流星。

欧文·斯通:《心灵的激情》

青年人容易侮辱人,也容易忘掉别人的侮辱;老年人不轻易侮辱人,但也不轻易忘掉别人的侮辱。

爱迪生:《卡托》

杀父母比杀人要邪恶,但是自杀是最邪恶的。

奥古斯丁:《论忍耐》

年轻时没做过蠢事的人,到了成年后就不会有什么作为。

莫·柯林斯:《花园里的感想》

老年人相信一切,中年人怀疑一切,青年人什么都懂。

王尔德:《道林·格雷的画像》

不想当将军的士兵不是好士兵。

拿破仑

死亡隶属于生命,正与生一样。

泰戈尔:《飞鸟集》

人的天职是勇于探索真理。

(波兰)哥白尼

年龄不能表示人的老少, 你不须因为韶光推移而自伤老大,谁能肯定八十岁不能朝气蓬勃,而十八岁不会暮气沉沉呢?

莎士比亚

每一个老年人的死亡,等于倾倒了一座博览车。

高尔基

青年之字典,无"困难"之字,青年之口头,无"障碍"之语,惟知跃进,惟知雄飞,惟知本其自由之精神,奇僻之思想,锐敏之直觉,活泼之生命,以创造环境,征服历史。

李大钊:《"晨钟"之使命》

死是伟大的终结,终极的旅程,它是生命的延续。

劳伦斯:《恋爱中的妇女》

凡事以理想为因，实行为果。

鲁迅

为了真理，要敢爱、敢恨、敢叫、敢说、敢做、敢追求。

巴金

为真理而斗争是人生最大的乐趣。

布鲁诺

无目的地奋斗，结果只是徒乱人意劳而无功的。

冰心

无论怎样暗无天日，真理也仍然是真理，光明也依旧是光明。

茅盾

气馁是绝望之母。

严济慈

认识真理的主要障碍不是谬误，而是似是而非的真理。

列夫·托尔斯泰

必须有勇气正视无情的真理。

列宁

生活中没有理想的人，是可怜的人。

屠格涅夫

立志须存千载远，闲谈勿过五分钟。

沈钧儒

你若要喜欢自己的价值，你就得给世界创造价值。

歌德

完美的真理只有依靠我们的人格才能完美地认识。

泰戈尔

希望不算痛苦，无目的无希望而生活，才算痛苦。

茅盾

据说，一个聪明人自杀是有道理的，但是一般来说，任何人剥夺自己的生命都没有充分理由。

伏尔泰：《致詹姆士·马利奥的信》

坚持真理和热爱自由的精神——这就是社会的栋梁。

易卜生

我们不能坐令逸乐来盗取我们的生命。

林肯

我们只愿在真理的圣坛之前低头，不愿在一切物质的权威之前拜倒。

郭沫若

我们主要的事并不是要看那隐约地在于远处的东西，而是去做那清楚地摆在眼前的东西。

卡莱尔

哀莫大于心死，愁莫大于无志。

庄子

须有志有恒乃有成就耳。

曾国藩

唯一的希望在于自强不息。

左拉

理想存在于你自身，障碍亦存在于你自身。

托马斯·卡莱尔

蛟龙无定窟，黄鹄摩苍天。

杜甫

越难得到的东西就越想得到。

巴尔扎克

生于忧患，死于安乐。

《孟子·告子》

生当做人杰，死亦为鬼雄。

李清照

人生不出售来回票。一旦动身，绝不能复返。

罗曼·罗兰

一般来说，老年人较为宽容，少年人终是处处不满足。老年人的宽容，并不是完全漠不关心，而是由于判断事理已经到了炉火纯青，就是对于次等的事物也能知足，因为老年人阅历既深，才能觉察事物的实在价值。

黑格尔:《历史哲学》导言

如果在人生的道路上遇到了"红灯"而不得不停止前进的时候，你要坚信——红久必绿。

泰戈尔

　　每个人都是自己前途最权威的设计者和建筑者。

易卜生

　　你能够拿到手的，你就去拿，千万不要让别人控制你，做自己的主人——人的全部"滋味"就在这儿了。

屠格涅夫

　　内容充实的生命，就是久长的生命。我们要以行动，而不是以时间来衡量生命。

塞涅卡

　　活着而又没有目标是可怕的。

契诃夫

　　弱小的草呵！骄傲些罢，只有你普遍的装点了世界。

冰心

　　生活不是目的，生活的目的应当比生活更高。

高尔基

　　人生的真谛和忧伤不会被华丽的言词和喧嚣的臆想所淹没。

高尔基

　　最大的无聊却是为了无聊费尽辛劳。

莎士比亚

生命多长用时间计算,生命的价值用贡献计算。从物质的消耗中谋求欢乐,才是人生真正的悲哀。

裴多菲

一个人的经验是要在刻苦中得到的,也只有岁月的磨炼才能够使它成熟。

莎士比亚

对于那些运用思考的人,人生是个喜剧,对于那些多愁善感的人,人生是个悲剧。

沃波尔

生活中有两个悲剧。一个是你的欲望得不到满足,另一个则是你的欲望得到了满足。

萧伯纳

生活中最大的满足就是意识到应尽的义务。

盖兹利特

收入诚如自己的鞋子,过分小,会折磨、擦伤你的脚;过分大,会使你失足、绊倒。

科尔顿

生活中最大的享受、最高的乐趣就在于觉得自己是为人们所需要的,是使人们感到亲切的。

高尔基

人生的价值是由自己决定的。

卢梭

人生是短促的,这句话应当提醒每一个人去从事他要做的一切事情。

约翰生

生命的价值不在于能活多少天,而在我们如何使用这些日子。

蒙田

生活得最有意义的人,不是寿命最长的人,而是最能感受生活的人。

卢梭

一个人应当为活着而吃饭,而不是为吃饭而活着。

莫里哀

人生的道路布满了荆棘,我所知的惟一办法是从荆棘中迅速通过。对自己的不幸想得越多,危害越大。

伏尔泰

我们生活在冰的表层,真正的人生艺术就是在冰上滑行自如。

爱默生

伟大的心胸,应该表现出这样的气概——用笑脸来迎接悲惨的厄运,用百倍的勇气来应付一切的不幸。

鲁迅

人生·信仰

人生并不是以金钱为对象，因为我们的对象是人群。

> 普希金

人生就是人间的喜剧。

> 巴尔扎克

人因衷心信仰而被看成正当而合乎正义。

> 马丁·路德

人类最宝贵的财富是希望。

> 伏尔泰

人要立心做大事，不要立心做大官。

> 孙中山

门前万世不挂眼，头虽长低气不屈。

> 苏轼

支配战士的行动是信仰。

> 巴金

无志之人常立志，有志之人立志长。

> (汉族)谚语

无信仰的人就如无缰绳的马。

　　　　　　　　　　　谚语

石看纹理山看脉，人看志气树看材。

　　　　　　　　　　　谚语

在命运的颠沛中，最容易看出一个人的气节。

　　　　　　　　　　沙士比亚

壮志与毅力，是事业的双翼。

　　　　　　　　　　　歌德

有所作为是人生的真谛。

　　　　　　　　　　　恩格斯

自己的命运，必须由自己创造。

　　　　　　　　　　　契诃夫

生活的意义在于美好，在于向往目标的力量。

　　　　　　　　　　　高尔基

你的命运就在你自己的胸膛里。

　　　　　　　　　　　席勒

希望是有幸者的第二灵魂。

　　　　　　　　　　　歌德

希望从来不抛弃弱者。

　　　　　　　　　　　帕尔玛

希望在何时何地,都是一种支持生命的安定力量。

沙士比亚

希望是一种对未来光荣的预期。

但丁

希望是生命的灵魂,心灵的灯塔,成功的向导。

歌德

希望是受苦受难者的唯一药方。

莎士比亚

应该满足你自己的命运,一个人不能在每一方面都考第一。

伊索

我们必须有恒心,尤其要有自信心!

居里夫人

我们唯一的悲哀是生活于愿望之中而没有希望。

但丁

我喜欢离开人们通行的小路,而走荆棘丛生的崎岖山路。

伦琴

每个人都是自己命运的开拓者。

塞万提斯

没有伟大的愿望,就没有伟大的天才。

巴尔扎克

没有信仰的人的生活，无非是动物的生活。

列夫·托尔斯泰

使人伟大与渺小皆在其人之志。

席勒

命运本身是一个善良的女神，不过她不愿小人永远得志。

莎士比亚

命运指引我们走向生命，命运也嘲弄我们走向死亡。

伏尔泰

信仰不是一种学问，信仰是一种行为，它只在被实践的时候才有意义。

罗曼·罗兰

建立自己的思想、信念，该是绝对必要的。

纪德

信仰是我们一切思想的先行官。

卓别林

敌人只能砍下我的头颅，决不能动摇我们的信仰。

方志敏

人生是由呜咽、嗅闻和微笑构成的，而在二者之中，嗅闻站在支配的立场。

欧·亨利

真正之才智乃刚毅之志向。

拿破仑

就最高目标本身来说,即使没有达到,也比那完全达到了较低的目标要更有价值。

歌德

最大的希望产生于最大的悲惨境遇中。

罗素

所谓人生,是一刻也不停地变化着的。就是肉体生命的衰弱和灵魂生活的强化、扩大。

列夫·托尔斯泰:《读书之轮》

人生是患难与欢乐所组成。

陶行知:《育才十字诀》

有劳动有欢乐,有好景有坏运;这就是人生。

汉姆生:《大地的成长》

胜利和眼泪! 这就是人生!

巴尔扎克:《钢巴拉》

人生是多少次的死和多少次的复活的一连串的延续。

罗曼罗兰:《约翰·克利斯朵夫》

负着虚空的重担,在严威和冷眼中走着所谓人生的路,这是怎么可怕的事呵!

——鲁迅:《彷徨》

不经历感情的青春、战斗的成年和思考的晚年;生活就不会十全十美。

> 布伦特:《十全十美的生活》

冬天已经来到,春天还会远吗?

> 雪莱

在漫长的人生旅途中, 有时要苦苦撑持暗无天日的境遇;有时却风光绝顶,无人能比。

> 松下幸之助:《创业的人生观》

老骥伏枥,志在千里,烈士暮年,壮心不已。

> 曹操:《步出夏门行·龟虽寿》

暮年从智者身上取走的不是知识的精华,而是毫无用处的废渣。

> 儒贝尔:《名言集》

老年就是人生的秋天。即使是秋天也有它迷人的地方,有它的优越性。

> 阿·利哈诺夫:《我的将军》

我深深地感谢晚年,因为晚年使我更加渴望交谈,并以交谈代替吃喝。

> 西塞罗:《论高龄》

我们必须调整我们的生活形态;使黄金时代藏在未来的老年里,而不藏在过去的青春和天真的时期里。

> 林语堂:《论老年的来临》

青春是相爱佳期,晚年是从善的良辰。

乔·格兰维尔:《科林纳》

当你的希望一个个落空,你也要坚定,要沉着!

朗费罗

价值·贡献

一个人对社会的价值首先取决于他的感情、思想和行动对增进人类利益有多大作用。

爱因斯坦:《我的世界观》

人的价值,决定于他自己。

高尔基:《母亲》

假如社会不重视个人的价值,那就等于赋予个人以敌视社会的权利。

高尔基:《克里姆萨姆金的一生》

我更需要的是给与,不是收受。因为爱是一个流浪者,他能使他的花朵在道旁的泥土里蓬勃焕发,却不容易叫它们在会客室中的水晶瓶里尽情开放。

泰戈尔:《家庭与世界》

人生的价值;并不是用时间,而是用深度去衡量。

列夫托尔斯泰:《最后的日记》

最值得高度珍惜的莫过于每一天的价值。

> 歌德:《格言和感想集》

真正有价值的东西不是出自雄心壮志或单纯的责任感;而是出自对人和对客观事物的热爱和专心。

> 爱因斯坦:《人的一面》

只有为他人而生活的生命才是值得的。

> 爱因斯坦:《世界之我见》

你若要喜欢你自己的价值,你就得给世界创造价值。

> (德国)歌德:《格言传》

一个完全以自我为中心的世界,有如一颗陨落的流星,连一分热也不会留下来。

> 罗曼·罗兰:《搏斗》

思想活跃而又怀着务实的目的去进行最现实的任务;就是世界上最有价值的事情。

> 歌德:《格言和感想集》

如果市场的变迁决定人的价值,那么,人的尊严感、自豪感就被摧毁了。

> 弗洛姆:《为自己的人》

我们往往享有某一件东西的时候,一点不看重它的好处;等到失掉它以后,却会格外夸张它的价值,发现当它还在我们手里的时候看不出来优点。

> 莎士比亚:《无事生非》

一个人的真正价值首先决定于他在什么程度上和在什么意义上从自我解脱出来。

爱因斯坦:《我的世界观》

一个社会,如果不首先考虑每个人的道德价值,就只配受到蔑视和反抗。

马丹·杜·加尔:《蒂博一家》

一个人决不能在自己身上去体会他自己的存在,必须到外面去探求。

泰戈尔:《家庭与社会》

一个人的价值不是单靠争论可以获得。

泰戈尔:《家庭与世界》

一个人的价值,也体现在对抗垂死与腐朽的生活模式中,以及建立生动和欢乐的新生活中所具有的才能和力量。

高尔基:《兵们的故事》

一个人的价值唯有与其他人相对照才衡量得出来。

尼采:《权力意志》

我们每个人都有每个人的价值。

高尔基:《公墓》

只有在整体的内部才承认个人价值。

奥铿:《人生的意义与价值》

只有在共同体中个人才能获得全面发展其才能的手段;也就

是说,只有在共同体中才可能有个人自由。

马克思、恩格斯:《德意志意识形态》

事物整体的力量比任何单独的个人的力量更强大,正如我们的共同因素比我们自己的志趣更强大一样。

屠格涅夫:《回忆录》

众人所助,虽弱必强;众之所去,虽大必亡。

文子:《文子》

只有在宏观世界中,人类才能发现自我的真正价值。

高尔基:《克里姆·萨姆金的一生》

只要你曾经尽可能地贡献出来;就已经值得感激。

屠格涅夫:《回忆录》

如果集体的成员把集体的前景看做个人的前景,集体愈大,个人也就愈美,愈高尚。

马卡连柯:《论共产主义教育》

我们的使命是照亮整个世界,熔化世上的黑暗,找到自己和世界之间的和谐;建立自己内心和谐。

高尔基:《人》

我们不能只要有所得,也要有所贡献。

罗斯福:《政言录》

只要能培一朵花,就不妨做做会朽的腐草。

鲁迅:《三闲集》

我没有别的东西奉献；唯有辛劳、泪水和血汗。

> 丘吉尔：《1940年5月13日在英国下院的演讲》

要重返生活就须有所奉献。

> 高尔基：《与世隔绝》

人需要有一颗牺牲自己私利的心。

> 屠格涅夫：《屠格涅夫评传》

我所以一再坚持我们的贡献，那是因为，只有这种看法，才能在世界上有权力赢得人类的同情。

> 罗丹：《论艺术》

有一分热，发一分光。

> 鲁迅：《热风》

要找出来我值多少，那是别人的事情。主要的是能够献出自己。

> 屠格涅夫：《父与子》

人一生的贡献，所作所为的意义和价值，比人们的预料更多地取决于心灵的生活。

> 马丹·杜·加尔：《蒂博一系》

给予是能使人产生优越感的。

> 雨果：《九三年》

人当活在真理和自我奉献里。

> 庞陀彼丹

人的生命是有限的,可是,为人民服务是无限的,我要把有限的生命,投入到无限的为人民服务之中去。

雷锋:《雷锋日记》

　　在生活的路上,将血一滴一滴地滴过去,以饲别人,虽自觉渐渐瘦弱,也以为快活。

鲁迅:《两地书》

　　我们应当在不同的岗位上,随时奉献自己。

海皇:《玻璃珠游戏》

　　对人来说,最大的欢乐,最大的幸福是把自己的精神力量奉献给他人。

苏霍姆林斯基:《家长教育学》

　　上天赋予的生命,就是要为人类的繁荣、和平和幸福而奉献。

松下幸之助:《创业的人生观》

　　先天下之忧而忧,后天下之乐而乐。

范仲淹:《岳阳楼记》

　　真正可以享受的生活是短暂的。

萨卢斯特:《喀提林战争》

　　一寸丹心图报国,两行清泪为思亲。

于谦

　　宁愿忙死,也不甘做"懒汉"。

老舍

我们在家里过着舒适的生活时,不大能体会自由自在地在外面享受阳光与空气是一个多么大的特权。

泰戈尔:《戈拉》

位卑未敢忘忧国,事定犹须待盖棺。

陆游

人生的真谛在于享受淳朴的生活,尤其是家庭生活的欢乐和社会诸关系的和睦。

林语堂:《中国人》

一定要爱自己的工作,一定要拒绝享受,这不是为了完全弃绝享受,而是为了尽可能使我们永远有希望得到享受。

康德:《实用人类学》

做有意义的事情,其本身就是对生活的享受。

卢梭:《爱弥儿》

利·义

功利是一部机器的目的和检验机器价值的根据,而善良只是人的目的和意愿。

泰戈尔:《民族主义》

安利者就之,危害者去之,此人之情也。

韩非:《韩非子·好劫武臣》

个人的利益永远包括在公共利益之中，要想和公共利益分离，等于自趋灭亡。

孟德斯鸠:《波斯人信札》

　　利之中取大,害之中取小。

《墨子·大取》

　　现实的利益虽小,总比想往中的大利益更可取。

伊索:《伊索寓言》

　　世界上有两根杠杆可以驱使人们行动——利益和恐惧。

拿破仑:《拿破仑言论集》

　　利益可使人撕破脸皮,罪戾可使人订立同盟。

伏尔泰:《梅罗珀》

　　一切从人民的利益出发。

毛泽东:《论联合政府》

　　多行不义必自毙。

左丘明

　　正义的力量在于判断的坚决和无畏,反之,不义的结果则是不幸的恐惧。

德谟克利特

　　正义的怒火一旦燃烧起来,最骄傲的阴谋者也逃不了它的斧头的威严。

莎士比亚

需·求

任何人的劳动中都少不了需要的成分。

爱默生:《论文集》

你无法躲避需要,但你能征服需要。

塞内加:《致鲁西流书信集》

高级需要的追求与满足导致更伟大、更坚强,以及更真的个性。

马斯洛:《人的潜能和价值》

伟大的需要使人崇高;卑微的需要使人沉沦。

歌德:《与里默的谈话》

需要和机会能使懦夫鼓起勇气。

托·富勒:《箴言集》

凡是有生命的地方,生命肯定会按照构成生命的需要而决定取舍。

泰戈尔:《日本的民族主义》

安全需要是比爱的需要更占优势、更强烈、更迫切、更生死攸关的需更。

马斯洛:《心里学的论据和人的价值》

个人为保存自己所必不可少的种种需要与以下三方面相关连:居住、食物和衣服。

皮埃尔·勒富:《论平等》

为了得到满足,人还必须有可能根据他们个人的特点和能力来发展他们理智上的和艺术上的才能。

爱因斯坦:《晚年集》

一个人如果碌碌无为,只为自己渺小的生存而虚度一生,那么,即使他高寿活到一百岁,又有什么价值和意义呢?

杨沫:《青春之歌》

一个精神生活很充实的人,一定是一个很有理想的人,一定是一个很高尚的人,一定是一个只做物质的主人而不做物质的奴隶的人。

陶铸:《理想·情操·精神生活》

人生最美好的东西,是当你停止呼吸以后,还能以你创造的一切为人民服务。

刘吉:《与大学生的对话》

名誉·良心

名誉是一件无聊的骗人的东西;得到它的人未必有什么功德;失去它的人也未必有什么过失。

莎士比亚:《奥赛罗》

爱惜衣裳要从新的时候起,爱惜名誉要从幼小时候起。

普希金:《上尉的女儿》

无暇的名誉是世间最纯粹的珍宝。失去了名誉,人类不过是一些镀金的粪土,染色的泥块。

莎士比亚:《查理二世》

无论男人女人,名誉是他们灵魂里面最切身的珍宝。

莎士比亚:《奥赛罗》

荣誉是空名,勋绩才是一切。

歌德:《浮士德》

荣誉感是一种优良的品质,因而只有那些禀性高尚、积极向上或受过良好教育的人才具备。

爱迪生:《课外人》

我的荣誉就是我的生命,二者互相结为一体。取去我的荣誉,我的生命也就不再存在。

莎士比亚:《查理二世》

只有在属于自己的位置上,才觉得心安理得。

列夫·托尔斯泰:《安娜卡列尼娜》

太重视名誉是一般人最常犯的错误。

叔本华:《人生的智慧》

居庙堂之高,则忧其民;处江湖之远,则忧其君。

范仲淹:《岳阳楼记》

地位越高,自我评价就越高,自信心有多强,能力就有多强,我们总能表现出与环境的和谐平等。

赫兹里特:《论性格》

　　珍视思想的人,必然珍视自己的尊严。

苏霍姆林斯基:《给儿子的信》

　　"名誉是人生的太阳",失去了名誉,人生就将步入黑暗。

杜卫东:《青春的思索与追求》

　　名誉和美德是心灵的装饰,要没有它,那肉体虽然真美,也不应该认为美。

塞万提斯:《堂吉诃德》

　　一个人的尊严并非在于获得的荣誉,而在于本身真正值得这荣誉。

牛顿

理想篇

信仰·希望

不患人之不能，而患意之不勉。

王安石：《游褒禅山记》

支配战士行动的是信仰。他能够忍受一切艰难、痛苦，而达到他所选定的目标。

巴金：《巴金散文选》

在理论的政治的认识上，站稳着脚步，才不至随时为某些现象或谣言而动摇自己的革命信仰。

方志敏：《可爱的中国》

敌人只能砍下我们的头颅,决不能动摇我们的信仰!因为我们信仰的主义,乃是宇宙的真理。

方志敏:《可爱的中国》

一个人不能没有信仰,一个社会也不能缺少信仰。

顾颉刚:《顾颉刚通俗论著集》

信仰是人生的动力。

列夫·托尔斯泰:《自白》

信仰,是人们必须的;什么也不信的人不会有幸福。

雨果:《悲惨世界》

人使自己所信仰的东西成为神圣;正如他使自己所爱的东西成为美丽。

勒南:《宗教史研究》

真正的信仰是建立在岩石上的;而其他的一切却颠簸在时间的波浪上。

培根:《随笔集》

信仰是没有国土和语言界限的,凡是拥护真理的人,就是兄弟和朋友。

亨利希·曼:《亨利四世》

每个人都有一定的理想,这种理想决定着他的努力和判断的方向。就在这个意义上,我从来不把安逸和快乐看作是生活目的本身——我叫它猪栏的理想。

爱因斯坦:《我的世界观》

人没有信仰，就成了行尸走肉。

契诃夫：《补遗》

信仰会是而且会永远是人类最后的希望之锚，人类即使达到了最高的尘世幸福，这个信仰也是不能缺少的。

魏特林：《一个贫苦罪人的福音》

信仰能将具有毁灭性的绝望转变为逆来顺受的屈从。

马·布莱辛顿：《备忘录》

纯粹的信仰能把恐惧置之度外。

乔·麦克唐纳：《吉比爵士》

我们若凭信仰而战斗，就有双重的武装。有两件事我最憎恶：没有信仰的博才多学和充满信仰的愚昧无知。

爱默生：《处世之道·崇拜》

信仰太多等于没有信仰。

托·穆尔：《寓言诗集》

信仰，是人们所必须的。什么也不信的人不会有幸福。

雨果：《悲惨世界》

让你的理想高于你的才干，你的今天才有可能超过昨天，你的明天才有可能超过今天。

纪伯伦

人生最高之理想，在求达于真理。

李大钊：《探索者的足迹》

必须对生活先有信心，然后才能使生活永远延续下去。而所谓信心，就是希望。

保罗·郎之万：《圣诞节的祝词》

因为我们知道白昼一定会按时来到，所以我们就不会惧怕黑夜的漫长。

罗兰：《罗兰小语·理想》

有的人居心仁厚，忠诚不变，理想崇高，因为心里没有卑鄙的打算，性子也比人直爽，能够诚实待人，不论对于阔人穷人都一样正直，一样宽容。这样的人，不论在什么地方都是千百个里挑不出几个来。

萨克雷：《名利场》

理想是指路明灯。没有理想，就没有坚定的方向；没有方向，就没有生活。

列夫·托尔斯泰：《书信集》

不经风雨，长不成大树；不受百炼，难以成钢。迎着困难前进，这也是我们革命青年成长的必经之路。有理想有出息的青年人必定是乐于吃苦的人。

雷锋：《雷锋日记》

一个人有了理想，就是在最艰苦困难的时候，也会感到幸福。

徐特立：《徐特立教育文集》

崇高的理想变为社会的现实，必须通过革命的实践；革命的理想必须和革命的实践结合起来。

陶铸：《理想·情操·精神生活》

人是要靠理想才能生活的,没理想,就会失去生活的力量。

杨朔:《杨朔散文集》

希望是本无所谓有,无所谓无的,这正如地上的路,其实地上本没有路,走的人多了,也便成了路。

鲁迅《故乡》

一个有理想的人,才真是一个力量无边的人。

巴尔扎克:《论艺术家》

人生以精神贯注而立,大事以一线到底而成。

黄兴:《黄兴集·复刘承烈书》

如果一个人不知道他要驶向哪个码头,那么任何风都不会是顺风。

塞涅卡:《著作残篇》

伟大的抱负造就伟大的人。

托·富勒:《箴言集》

人在运动中,总要为那种运动设想一个目的。为了能走一千里,他必须想象,在那一千里的尽头,有一种好事情等待他。为了取得前进的力量,我们就必须怀抱达到一个乐土的希望。

列夫·托尔斯泰:《战争与和平》

希望是不幸者的唯一药饵。

莎士比亚:《一报还一报》

人生活在希望之中。旧的希望实现了,或者泯灭了,新的希望的烈焰随之燃烧起来。如果一个人只是过一天算一天,什么希望也没有,他的生命实际上也就停止了。

莫泊桑:《一生》

希望从来也不抛弃弱者。

里·帕尔玛:《一吻之死》

希望是穷人的面包。

乔·赫伯特:《外国谚语名句选》

生活好比旅行,理想是旅行的路线,失去了路线,只好停止前进。

雨果

我们应该有恒心,尤其要有自信心!我们须相信,我们既然有做某种事情的天赋,那么无论如何都必须把这种事情做成。

居里夫人:《居里夫人传》

以享乐为主是建立不了生活的,因为生活实质上就是事业。

高尔基:《马特维·科热米亚金的一生》

果实的事业是尊贵的,花的事业是甜美的,但是让我做叶的事业吧,叶是谦逊在专心在垂着绿荫的。

泰戈尔:《飞鸟集》

没有了希望,一个人就不能维持他的信仰,保守他的精神,或保全他的内心纯洁。

巴尔扎克:《巴尔扎克传》

人类最宝贵的财富是希望，希望减轻了我们的苦恼，为我们在享受当前的乐趣中描绘出未来乐趣的情景。如果人类不幸到目光只限于考虑当前，那么人就不会再去播种，不再去种植，人对什么也不准备了，从而在这尘世的享受中，人就会缺少一切。

伏尔泰：《哲学通信集》

希望是附丽于存在的，有存在，便有希望；有希望，便有光明。

鲁迅：《华盖集录编》

希望是对未来荣耀的某种期待。

但丁：《神曲》

说到希望，却是不能抹杀的，因为希望是在于将来的。

鲁迅：《呐喊》

希望是不幸之人的第二灵魂。

歌德：《散文语录》

只有能够实现的希望才能产生爱，只有希望才能保持爱。

奥维德：《变形记》

希望是顿美味的早餐，但却是顿糟糕的晚餐。

培根：《箴言集》

希望虽然是旅途中的一个良好伴侣，但它却往往是一个错误的向导。

哈利法克斯

目标·追求

路漫漫其修远兮,吾将上下而求索。

屈原:《离骚》

让整个一生都在追求中度过吧,那么在这一生里必定会有许许多多顶顶美好的时刻。

高尔基:《时钟》

我们,我们活着!岁月是我们的,而活着的人就应该有所追求!

席勒:《欢乐颂》

追求超越,引人进入智慧之宫。

威廉·布莱克:《笔记本》

世间的任何事物,追求时候的兴致总要比受用时候的兴致浓烈。

莎士比亚:《威尼斯商人》

起始必须从几乎无路可通的丛莽中斩棘披荆,寻觅一处可能发现金沙的所在,然后淘尽了数百斤沙石,希望至少找到几粒金屑。

斯坦尼斯拉夫斯基:《我的艺术生活》

不要去祈求那些将使你后悔的东西。

> 塞内加:《致鲁西流书信集》

灵魂如果没有确定的目标,它就会丧失自己。

> 蒙田:《随笔集》

没有目标的生活是向机会投降。

> 纪德:《伪币制造者》

谁为时代的伟大目标服务,并把自己的一生献给了为人类兄弟而进行的斗争,谁才是不朽的……

> 涅克拉索夫

凡是以追求自己的幸福为目标的人,是坏的;凡是以博得别人的好评为目标的人,是脆弱的;凡是以使他人幸福为目标的人,是有德行的。

> 列夫·托尔斯泰:《托尔斯泰传》

幸福·幻想

夺走了普通人生活的幻想,也就等于夺去了他的幸福。

> 易卜生:《野鸭》

幻想是灵魂的睡眠。

> 德贝尔:《冥想录》

幻想还没有完全破灭的时候,灵魂是不会向失望投降的。

雨果:《悲惨世界》

我的一切幻想会燃烧成快乐的光明,我的一切愿望将结成爱的果实。

泰戈尔:《吉檀迦利》

幻想比美女更富有魅力。

约翰·雷:《英国谚语大全》

幻想使得傻瓜变成富翁。

契诃夫:《三年》

幻想只能委诸志同道合的人。

康·巴马斯托夫斯基:《金蔷薇》

一切超越理智的幻想都是某种程度的疯狂。

约翰逊:《拉塞勒斯》

生命是一张弓,那弓弦是梦想。

罗曼·罗兰:《箭手》

我宁可做人类中有梦想和有完成梦想的愿望的、最渺小的人;而不愿做一个最伟大、无梦想、无愿望的人。

纪伯伦:《沙与沫》

如果要毁灭人的一切梦想和幻想,大地就会丧失它的种种外形和色彩,我们也全都会睡在阴郁的愚钝中了。

法朗士:《黛依丝》

我们可以把幻想当作旅伴,但必须请理智做向导。

约翰逊:《致博斯威尔的信》

梦想只要能持久,就能成为现实。

丁尼生:《高深的泛神论》

一个人能满足自己幻想的需要才算富裕。

亨利·詹姆斯:《一位女士的画像》

梦想就是创造。希望就是召唤。制造幻想就是促成现实。

雨果:《笑面人》

理想·力量

人者,理想之动物也。人生之目的在于实现其理想。

杨昌济:《告学生》

一种理想就是一种力!

罗曼罗兰:《约翰·克利斯朵夫》

人献身于某一目的、某一理想……恰是人追求生命过程中的完善这一需要的表现。

《弗洛姆州人的境遇》

人类的心灵需要理想甚于需要物质。

雨果:《莎士比亚论》

所谓理想,是精神预见秩序。精神就因为是精神,即能够窥察永恒,所以才能有理想。

阿米尔:《日记》

理想就是人在不断前进中所追求的坚定不移的范本。

雨果:《莎士比亚论》

人类总有一种理想,一种希望。虽然高下不同,必须有个意义。

鲁迅:《坟》

忠实于理想——这是崇高而又有力的一种感情。

伏契克:《伏契克文集》

理想并不是一种空虚的东西,也并不玄奇;它既非幻想,更非野心,而是一种追求善美的意识。

伏尼契

人生最高之理想,在求达于真理。

李大钊:《真理之权威》

在理想的最美好的世界中,一切都是为最美好的目的而设。

伏尔泰:《哲学通信》

缺乏信念是由于无知。

高尔基:《老人》

一个人是不能仅仅信仰自己的。

屠格涅夫:《前夜》

有力量摈弃一切个人欲望从而为一种理想献身的人,他就是自由的。

高尔基:《在生活面前》

信仰是可以创造奇迹的。

马克·吐温:《赤道环游记》

富贵不能淫,贫贱不能移,威武不能屈。

孟轲:《孟子·陵文公下》

人类保护了爱情与信仰之灯,——这灯是任何飓风也吹不灭的。

泰戈尔《泰戈尔评传》

信仰不是一门学问;信仰只是一种行为,它只在被实践的时候才有意义。

罗曼·罗兰:《托尔斯泰传》

通向真正信仰的道路,是要经过无信仰的沙漠才会达到的。

高尔基:《克里姆·萨姆金的一生》

必须从一种理想主义中去寻求精神力量。在不使我们骄傲的情况下,这种理想主义可把我们的希望和幻想上升到一个很高的境界。

居里夫人:《谈话录》

坚强的信念能赢得强者的心并使他们变得更坚强。

白哲特:《物理学与政治学》

追求·勇敢

有知识而无实践只是半个艺术家。

托·富勒:《箴言集》

人类牺牲的价值,有比生命还要贵重的,就是真理和名誉。

孙中山:《在广州中国国民党恳亲大会的演说》

我们为了保卫真理,最好有不惜牺牲一切的精神,特别是我们哲学家,更该如此。在真理与友谊两者俱为我们所亲的情形下,为了保卫真理,我们宁取真理。这乃是神圣的义务。

亚里士多德:《尼可马克伦理学》

追求真理的人以与患难搏斗为乐。

陶行知:《陶行知文集·育才十字诀报》

得到真理的人便负有传授真理的义务。

陶行知:《中国大众教育问题》

天下只有真的事情是可以颠扑不破的,假的事情无论如何周密,总是必有一天要被拆穿的。

邹韬奋:《糊涂虫假认真》

理直气壮,永远不怕真理,勇敢地拥护真理,把真理告诉别人,为真理而战斗。

刘少奇:《论共产党员的修养》

真理面前没有情面。

陈望道:《陈望道文集·真理底神》

一时强弱在于力,千秋胜负在于理。

曹禺

为了自己的身家名誉,而去拼命的人,算不得大勇,不顾自己的身家名誉,而去维护真理的人,才是真正的勇者!

刘墉:《冲破人生的冰河》

多思多行是我们发现真理的途径。

罗兰:《罗兰小语》

人的天职在勇于探索真理。

哥白尼

只有在斗争中无所畏惧,才能在追求真理的过程中把自己雕塑成器。

张志新:《为真理而斗争》

最好是把真理比作燧石——它受到的敲打越厉害,发射出的光辉就越灿烂。

马克思:《第六届莱茵省议会的辩论》

不用相当的独立功夫,不论在哪个严重的问题上都不能找出真理;谁怕用功夫,谁就无法找到真理。

列宁:《几个争论问题》

真理是在漫长发展着的认识过程中被掌握的,在这一过程中,每一步都是它前一步的直接继续。

黑格尔:《黑格尔小传》

在真理和认识方面,任何以权威自居的人,必将在上帝的欢笑中垮台!

爱因斯坦:《爱因斯坦传》

凡在小事上对真理持轻率态度的人,在大事上也是不足信的。

爱因斯坦:《爱因斯坦传》

被黑暗的错误遮掩着的另一面是真理。

雨果:《历代传说》

错误经不起失败,但是真理却不怕失败。

泰戈尔:《飞鸟集》

看出谬误比发现真理要容易得多,因为谬误是在明处,也是可以克服的,而真理则藏在深处,并且不是任何人都能发现它。

歌德:《歌德的格言和感想集》

最初偏离真理毫厘,到头来就会谬之千里。

亚里士多德:《论天》

闭着眼睛而驯服地、恭敬地、奴隶般接受真理——那绝不是真理,只是一篇谎话。

罗曼·罗兰:《先驱者》

是真理使人变得伟大,而不是人使真理变得伟大。

罗曼·罗兰《罗曼·罗兰回忆录》

有两种不可调和的世界观:一种是屈从于生活的奥秘,另一种则力求认识它们;一种是渴望安宁,要人循规蹈矩,安分守己,另一种却是要以智慧和意志和力量推动生活前进,把人培养成能控制这个星球的斗士;一种相信奇迹,并且等待奇迹,另一种则在创造真理。

高尔基:《旧事》

我们对于真理必须经常反复地说,因为错误也有人在反复地宣传,并且不是有个别的人而是有大批的人宣传。

歌德:《歌德谈话录》

当你看到不可理解的现象,感到迷惑时,真理可能已经披着面纱悄悄地站到你的面前。

巴尔扎克:《人间喜剧》

真理越伟大,对它的诽谤也就越毒。

托·穆尔:《诽谤案》

诡计总要穿衣服,真理却喜欢裸露着。

托·富勒:《箴言集》

过去曾是真理的东西今天成了谬误,今天成为谬误的东西昨天却是真理。像世界上所有其他的事物一样,真理和谬误也是随着时间变化的。

埃·斯宾塞:《仙后》

真理即使细弱如丝,也扯不断,混杂在一堆谎话里也会露头,像油浮在水上一样。

塞万提斯:《堂吉诃德》

劳动和人,人和劳动,这是所有真理的父亲和母亲。

苏霍姆林斯基:《家长教育学》

在人类历史的长河中,真理因为像黄金一样重,总是沉于河底而很难被人发现:相反地,那些牛粪一样轻的谬误倒漂浮在上面到处泛滥。

培根:《培根论文集》

为寻求真理而思考是世界上最困难的工作,比收庄稼、生孩子还困难。

阿卜杜拉·侯赛因:《悲哀世代》

越是接近真理,便愈加发现真理的迷人。

拉美特利:《人是机器》

真理不会由于有人不承认它而蒙受丝毫的损害。

席勒

真理是时间的女儿。

达·芬奇:《笔记》

世界上有些人渴望获得真理,他们的要求非常强烈,为了达到这个目的,就是叫他们把生活的基础完全打翻,也在所不惜。

毛姆:《月亮和六便士》

找到一条真理的人,就像是点燃了一把火炬。

英格索尔:《真理》

真理一出而谎言全消。

契诃夫:《儿童读物》

实践·真理

不闻不若闻之,闻之不若见之,见之不若知之,知之不若行之,学至于行之而止矣。

荀况:《荀子·儒效》

不经一事,不长一智。

曹雪芹:《红楼梦》第六十回

如果有了正确的理论,只是把它空谈一阵,束之高阁,并不实行,那么,这种理论再好也是没有意义的。

毛泽东:《实践论》

人类的生产活动是最基本的实践活动,是决定其他一切活动的东西。

毛泽东:《实践论》

凡事都要脚踏实地去做,不驰于空想,不骛于虚声。

李大钊:《李大钊全集·现代史学的研究》

一碗酸辣汤,耳闻口讲的,总不如亲自呷一口的明白。

鲁迅:《鲁迅全集》

实践是检验真理的唯一标准。

邓小平:见 1988 年 5 月 14 日《光明日报》

理论是实践的眼睛。

邹韬奋:《理论和实践的统一》

没有做,莫说做不通;做得不够,莫说做不好。

陶行知:《行知诗歌集·打胜仗的秘诀》

热衷于脱离科学而专搞实践的人,正如一个水手,登上了一条没有罗盘、没有舵的船,永远拿不准船的去向。

达·芬奇:《达·芬奇论绘画》

光有知识是不够的,我们还必须应用知识;光有意志是不够的,我们还必须见诸行动。

歌德:《歌德的格言和感想集》

人生 格言 *Ren Sheng Ge Yan*

没有行动,思想永远不能成熟而化为真理。

没有理论,实践不过是习惯产生的例行工作。唯有理论才能唤起发明灵感,使其得以发展。

巴斯德:《巴斯德》

道德·伦理

一个人的尊严并非在于获得的荣誉,而在于本身真正值得的荣誉。

牛顿

一个人能否有成就,只看他是否具备自尊心与自信心两个条件。

苏格拉底

人不可有傲态,但不可无傲骨。

谚语

人的价值由其尊严和品德决定。

谚语

凡是使生命扩大而又使心灵健全的一切便是善良的。

杰克一伦敦

凡是与虚伪相矛盾的东西都是极其重要而且有价值的。

高尔基

凡是把虔诚作为目的和目标来标榜的人,大都是伪善的。

歌德

大抵人常怀愧对之意,便是载福之器入德之门。

曾国藩

大海之所以伟大,除了它美丽、壮阔。坦荡外,还有一种自我净化的功能。

康德

与其夸你力气大,莫如去把弱者帮。

谚语

伪善正如假币,也许可以购取货物,但也贬低了事物真正的价值。

培根

仁爱或同情,一方面需以情感来启发,另一方面还得以理智来领导。

富兰克林

不知耻则不得誉。

（汉族）谚语

不要把正当的自尊心同保存一种虚假的面子混淆起来。

刘少奇

不做亏心事，才能理直气壮。

玛尔里

为自私而终日奔波的人，常常不把羞耻放在心上。

谚语

手莫伸，伸手必被捉。

陈毅

公众的舆伦，是非的铁尺。

蒙古族谚语

天理中亦有人欲，学道者不可不知。

《近言集》

水之折也必通蠹，墙之坏也必通隙。

韩非：《韩非子》

不知羞耻的人，决不会有美德。

（汉族）谚语

正能胜邪，邪不胜正。

《隋唐演义》

世界上能为别人减轻负担的都不是庸庸碌碌之徒。

> 狄更斯

礼禁未然之前，法施已然之后。

> 司马迁《史记》

任何恶德的外表也都附有若干美德的标志。

> 莎士比亚

伪善的尽头便成为真恶。

> 郭沫若

在做艺术家之前，先要做一个人。

> 罗丹

好人常直道，不顺世间逆。

> 孟郊

伪善是一种投资，魔鬼要来偿还的。

> 雨果

伪善者是一个侏儒巨人。

> 雨果

兴风作浪之徒，定遭受风暴袭击。

> (阿拉伯)谚语

在私生活中，人的天性是最容易显露的。

> 培根

在很特殊的情况下，一个人才会成为圣人；但做个正直的人却是人生的正轨。

雨果

伪善者既然是极恶的化身，在他身上就有邪恶的两个极端，一端是教士，另一端是娼妓。

雨果

如果人人都为自己活着，世界便会冷却下来。

拜伦

只有道德，和能具有道德的人格才是有尊严的。

康德

忏悔过两次的人是最可恶的伪君子。

（法）谚语

肉体之死不可怕，灵魂之死才可怕。

（丹麦）谚语

以为人人都正直，那是愚蠢的；认为根本没有正直的人，尤其愚蠢。

约翰·亚当斯

自己先做一个好人，然后找和你相仿佛的人做你的朋友。

（古罗马）西塞罗

血气之怒不可有，理义之怒不可无。

黄宗羲

行善比作恶明智;温和比暴戾安全;理智比疯狂适宜。

> 勃朗宁

许多虚伪的人用粗暴来掩饰他们的平庸。

> 巴尔扎克

阴险的挑拨离间,能把大山劈成两半。

> (南斯拉夫)谚语

利己主义是人类最大的祸害。

> 格莱斯顿

利不苟就,害不苟去。

> 贾谊

别看人的容颜,要看人的心灵。

> (汉族)谚语

帮助穷人使您致富,帮助病人使您健康;您给别人的每一帮助,最终都将给您自己以帮助。

> (英)勃朗宁

坏人生活下去是为了吃和喝,而好人则是为了生活下去才吃喝。

> (古希腊)苏格拉底

我们发现身无分文者常最慷慨,积聚财富的意念引起自私自利。

> (德)汤玛斯·曼

坏主意都由贪心引起。

（阿拉伯）谚语

没有一种罪恶比虚伪和背义更可耻了！

（英）培根

君子修美，虽未有利，福将在后至。

《淮南子》

没有自尊的人，即近于自卑。

（英）莎士比亚

没有灵魂的生活。没资格称为人的生活。

（古希腊）苏格拉底

穷则独善其身，达则兼善天下。

《孟子》

幸运所生的德性是节制，厄运所生的德性是坚韧。

培根

性者情之本，情者性之用。

（宋）王安石

所守者道义，所行者忠信，所惜者名节。

欧阳修

所逢苟非义，粪土千万金。

白居易

易找无价宝,难寻好人心。

(老挝)谚语

吹牛撒谎是道义上的灭亡,它势必引向政治上的灭亡。

(苏联)列宁

虽然尊严不是一种美德,却是许多美德之母。

柯林斯

要散布阳光到别人心里,先得自己心里有阳光。

罗曼·罗兰

恶习知道自己很丑陋,所以往往戴上假面具。

富兰克林

恶不可积,过不可长。

《三国志》

恶劣手段得来的东西,必然带来恶劣的报应。

莎士比亚

爱人者,人恒爱之;敬人者,人恒敬之。

《孟子》

爱之则不觉其过,恶之则不觉其善。

班固:《后汉书》

真的来了,虚伪的便离开。

穆罕默德

能无私于一人,故万物至而制之,万物至而命之。

《尉僚子》

当一个人自身缺乏某种美德的时候,他就一定要贬低别人的这种美德,以求实现两者的平衡。

培根

能行至公,莫要乎无忌。

《傅子》

能遗其身,然后能无私,无私然后能至公。

(隋)王通

谁把强制暴力加于我们,谁就等于是在夺去我们的人性。

(德)席勒

谁遵循正道,谁自受其益;谁误入迷途,谁自受其害。

《古兰经》

倘若你为别人做了好事,切莫提及;倘若别人为你了好事,切莫忘记。

(阿拉伯)谚语

诌媚也可以造成协调,但这种协调是借奴性的无耻的罪过或欺骗所造成。

(荷兰)斯宾诺莎

高尚是受人尊敬的源泉。

(阿拉伯)谚语

道德常常能填补智慧的缺陷,而智慧却永远填补不了道德的缺陷。

(意大利)但丁

假装出一副悲哀的脸,是每一个伪人的拿手好戏。

(印度)谚语

唯爱财富之心使人度量狭小,精神卑鄙。

(古罗马)西塞罗

情是圆的,理是方的。

(汉族)谚语

教养所具有的积极意义之一,就在于对急功近利的实用性的否定。

(日本)

断言社会上没有忠厚人者,他本身必定是不忠厚者。

(爱尔兰)伯克莱

欲人爱己,必先爱人;欲人从己,必先从人。

《国语》

清白的良心是一个温柔的枕头。

(丹麦)安徒生

真正的英雄不是永远没有卑下的情操,只是永远不被卑下的情操所屈服罢了。

罗曼·罗兰

脚跟站得稳,肩膀就硬。

(東埔寨)谚语

虚伪及欺诈产生各种罪恶。

爱迪生

善待他人,便是积德积福。

(波斯)昂苏尔·玛阿里

善意的虚伪要比挑起不和的真实更好。

(波斯)萨迪

最有道德的人,是那些有道德却不须由外表表现出来而仍感满足的人。

(古希腊)柏拉图

最美好动人的善行是同时源于心和智慧的善行。

(黎巴嫩)雷哈尼

温柔的仁慈是高贵者真正的胸章。

莎士比亚

雁美在高空中,花美在绿丛中,话美在道理中,人美在劳动中。

(汉族)谚语

嫉妒毕竟是一种卑劣下贱的情欲,因此它乃是一种属于恶魔的素质。

培根

感情有着极大的鼓舞力量,因此它是一切道德行为的重要前提。

(苏联)凯洛夫

感情是先于知识的,谁没有道德的感情,谁就不懂得道德。

别林斯基

温和的谈吐源于仁慈的心。

(古希腊)荷马

罪恶有很多工具,但谎言是适合工具的把柄。

(古希腊)荷马

谬误不断地在行动中重复,而我们在口头上不倦地重复的却是真理。

歌德

慷慨并不是给予很多,而是给予得很明智。

富兰克林

撒谎与行窃是一路子货。

(英)谚语

擦地板和洗痰盂的工作和总统的职务一样,都有其尊严存在。

尼克松

魔鬼也会引证《圣经》来替自己辩护哩。

莎士比亚

立志·自强

一人投命，足惧千夫。

吴起：《吴子·励士》

有志者，事竟成，破釜沉舟，百二秦关终属楚；苦心人，天不负，卧薪尝胆，三千越甲可吞吴。

蒲松龄：《自勉》

天将降大任于斯人也，必先苦其心志，劳其筋骨，饿其体肤，空乏其身，行拂乱其所为，所以动心忍性，增益其所不能。

孟轲：《孟子·告子章句下》

天行健，君子以自强不息。

《易·乾》

古者富贵而名摩灭，不可胜记，唯倜傥非常之人称焉。盖文王拘而演《周易》；仲尼厄而作《春秋》；屈原放逐，乃赋《离骚》；左丘失明，著有《国语》；孙子膑脚，兵法修列；不韦迁蜀，世传《吕览》；韩非囚秦，《说难》、《孤愤》；《诗》三百篇，大抵圣贤发愤之所为作也。此人皆意有所郁结，不得通其道，放述往事，思来者。乃如左丘无目，孙子断足，终不可用，退而论书策，以舒其愤，思垂空文以自见。

司马迁:《报任安书》

一卒毕力，百人莫当；万夫致死，可以横行。

范晔:《后汉书·张法腾冯度杨列传》

精神爽奋则百废俱兴，肢体怠驰则百兴俱废。圣人之治天下，鼓舞人心，振作士气，务使天下之人，如合露之朝叶，不欲如久旱之午苗。

吕坤:《呻吟语》

人能咬得菜根断，则百事可做。

张泰来:《江西诗社宗派图录·汪革》

天下事非一人所能独办，君子欲有所为，必与其类同心共济。

尹令一:《健余札记》

谚云："吃一堑，长一智。"吾生平长进，全在受挫辱之时，务需咬牙励志，蓄其气而长其智，切不可恭然自馁也。

曾国藩:《曾国藩家书》

危急之际，莫靠他人，专靠自己，乃是稳者。

曾国藩：《曾国藩家书》

患难困苦，是磨炼人格之最高学校。

梁启超：《马克思列宁主义伦理学》

青年最要紧的精神，是要与命运奋斗。

恽代英：《恽代英文集·告投考黄埔军校的青年》

对搞科学的人来说，勤奋就是成功之母！

茅以升：《全速前进》

人生一征途耳，其长百年，我已走过十之七八。回首前尘，历历在目。崎岖多于平坦，忽深谷，忽洪涛，幸赖桥梁以渡。桥何名欤？曰奋斗。

茅以升：《茅以升》

每一朵成功的花都是由许多苦雨、血泥和强烈的暴风雨的环境培养成的。

冼星海

奋斗是万物之父。

陶行知：《陶行知文集·给肖生的信》

世界上没有直路，要准备走曲折的路，不要贪便宜。

毛泽东：《关于重庆谈判》

天下事不兴则亡，不进则退，不自立则自杀。

邹容：《革命之原因》

奋斗这一件事是自有人类以来天天不息的。

孙中山:《民权主义》

攀登科学高峰,就像登山运动员攀登珠穆朗玛峰一样,要克服无数艰难险阻,懦夫和懒汉是不能享受到胜利的喜悦和幸福的。

陈景润

种子不落在肥土而落在瓦砾中,有生命力的种子决不会悲观和叹气,因为有了阻力才有磨练。

夏衍:《夏衍杂文随笔集》

艰难的环境一般是会使人沉没下去的,但是,在具有坚强意志、积极进取精神的人,却可以发挥相反的作用。环境越是困难,精神越能发奋努力。困难被克服了,就会有出色的成就。

郭沫若:《天才与勤奋》

在顺境时,要有节制的美德;在逆境时,要有刚毅的美德。

曲波:《人生的平坦与曲折》

君子欲有所树立,必有不妄求人知始。

蔡锷:《蔡锷·曾胡治兵语录 序及按语》

古今中外,凡成就事业,对人类有作为的,无一不是脚踏实地、艰苦攀登的结果。

钱三强:《和青年朋友谈话》

天下事有难易乎? 为之则难亦易矣;不为,则易者亦难矣。

彭端淑:《白鹤堂集》

凡是确有力量的人,绝不想侥幸成功,而想竭力奋斗,以求得有价值的胜利。

杨贤江:《青年修养与青年教育·自强论》

切不可听到一二个懦夫的劝阻与黑暗的朋友的威吓,自己就软弱下来,放弃应有的努力,特别在那稍纵即逝的紧急关头。

方志敏:《可爱的中国》

不以挫抑而灰心,不以失败而退怯。

黄兴:《黄兴集·孙中山致黄兴书》

成就的大小、高低,是不在我们掌握之内的,一半靠人力,一半靠天赋,但只要坚强,就不怕失败,不怕挫折,不怕打击——不管是人事上的,生活上的,技术上的,学习上的——打击。

傅雷:《傅雷家书》

青年之文明,奋斗之文明也,与境遇奋斗,与时代奋斗,与经验奋斗。故青年者,人生之王,人生之春,人生之华也。

李大钊《"晨钟"之使命》

伟人也是在与他前面的"伟人"们的挑战与争衡中站起来的。

舒卓:《在伟大面前站起来》

什么是路?就是从没路的地方践踏出来的,从只有荆棘的地方开辟出来的。

鲁迅:《生命的路》

奋斗者自有自己的快乐。

张海迪:《闪光的生活道路》

"不耻最后"：即使慢，驰而不息，纵令落后，纵令失败，但一定可以达到他所向的目标。

鲁迅:《华盖集·补白·三》

当一个人有自信，别人就会相信他；当一个人坚持到底，那些怀疑他的人就会反过来帮助他；当一个人勇往直前，别人就会给他让路。

罗兰:《罗兰小语·谈决心》

在创业时期中必须靠自己打出一条生路来，艰苦困难即此条路上必经之途径，一旦相遇，除迎头搏击外无他法，若畏缩退避，即等于自绝其前进。

邹韬奋:《能与为》

真正的乐观主义的人是用积极的精神向前奋斗的人，是战胜愁虑穷苦的人。

邹韬奋:《奋斗的人生》

志不强者智不达，言不信者行不果。

《墨子·修身》

人人皆可有出类拔萃的追求，但不是一切追求出类拔萃者皆能成为真实的巨人。

金马:《金马小语》

我每看运动会时，常常这样想：优胜者固然可敬，但那虽然落后但仍飞跑至终点不止的竞技者，和见了这样竞者而肃然不笑的看客，乃正是中国将来的脊梁。

鲁迅:《这个与那个·最先与最后》

忍耐·不懈

我要扼住命运的咽喉，决不能让命运使我屈服。

贝多芬:《致韦该勒书》

只要你重新昂起头，新的生活就在前头。

张海迪:见《闪光的生活道路》

鲁莽和怯懦都是过失，勇敢的美德是这两个极端的折中。不过宁可勇敢过头而鲁莽，不要勇敢不足而懦怯。

塞万提斯:《堂吉诃德》

事业常成于坚忍，毁于急躁。我在沙漠中曾亲眼看见，匆忙的旅人落在从容者的后边；疾驰的骏马落在后头，缓步的骆驼却不断前进。

萨迪:《蔷薇园》

有必胜信念的人才能成为战场上的胜利者。

希金森:《文学中的美国精神》

走自己的路，让人家去说吧!

但丁:《神曲》

忍耐是苦涩的，但它的果实却是甘甜的。

卢梭:《爱弥儿》

我的生活每况愈下，但它没有过错，因为我不仅没有跌倒，反而始终斗志昂扬。也就是说，生活中的每一次下降，并没有使我退回到出发点。

圣西门:《生平自述》

顶得住恶劣的形势，能站定脚跟等风暴过去，拚命爬到高地上去躲避的人，才算得上真有魄力。

巴尔扎克:《幻灭》

停步在山谷的人永远也翻不过山岗。

约翰·雷:《英国谚语大全》

在捷径道路上得到的东西决不会惊人。当你在经验和诀窍中碰得头破血流的时候，你就会知道，在成名的道路上，流的不是汗水而是鲜血，他们的名子不是用笔而是用生命写成的。

居里夫人:团中央编《团干部效率手册》

当困难到来的时候，有人因之一飞冲天，也有人因之倒地不起。

列夫·托尔斯泰

我是否曾主张，我们应对向着我们而来的一切灾难低头屈服？绝不！那只是宿命论的主张。只要有解救情况的一丝机会，我们便要奋斗。

戴尔·卡耐基《智慧的锦囊》

一切真正美好的东西都是从斗争和牺牲中获得的，而美好的将来也要以同样的方法来获取。

车尔尼雪夫斯基

我必须承认，幸运喜欢照顾勇敢的人。

　　达尔文:《达尔文生平及其书信集》第一卷

　　我们所完成的任何科学工作，都是通过长期的考虑、忍耐和勤奋得来的。

　　达尔文:《物种起源》

　　要记住:历史上所有伟大的成就，都是由于战胜了看来是不可能的事情而取得的。

　　卓别林:《卓别林自述》

　　告诉你使我达到目标的奥妙吧。我唯一的力量就是我的坚持精神。

　　巴斯德:《人生就是奋斗》

　　地是大的，可是地在我的脚下。

　　里维拉:《肇涡》

　　修凿可以使道路平直，但只有崎岖的未经修凿的道路才是天才的道路。

　　布莱克:《嘉言选》

　　真正的世界是广阔的，有一个充满希望和恐惧，感动和兴奋的天地，正在等着有勇气进去，冒着危险寻求人生真谛的人们。

　　夏洛蒂·勃朗:《简爱》

　　好运不会在大家等候的那个地方自然而来，而是经过弯弯曲曲与困难得难以想象的道路降临的。

　　加尔多斯:《慈悲心肠》

美好的生活不花代价是得不到的。

斯大林:见《斯大林选集》

人是从苦难中滋长起来的,唯有乐观奋斗,才能不断茁壮成长,反之则易埋没,默默终生。

拿破仑一世

先相信你自己,然后别人才会相信你。

屠格涅夫:《罗亭·鼓起勇气吧!》

逆境可以使人变得聪明,尽管不能使人变得富有。

托·富勒:《箴言集》

大自然既然在人间造成不同程度的强弱,也常用破釜沉舟的斗争,使弱者不亚于强者。

孟德斯鸠:《波斯人信札》

一切伟大的行动和一切伟大的思想都拥有一个微不足道的开始。

阿尔贝·加缪:《西西弗的神话》

只要有坚强的意志力,就自然而然地会有能耐、机灵和知识的。

陀思妥耶夫斯基:《少年》

英勇是一种力量,但不是腿部和臂部的力量,而是心灵和灵魂的力量,这力量并不存在于战马和武器的价值之中,而是存在于我们自身之中。

蒙田:《随笔集》

人能爬到至高的顶点，却不能长久住在那里。

萧伯纳：《名人演讲集》

明智的人使自己适应世界；而不明智的人则坚持要世界适应自己。所以人类进步靠的是不明智的人。

萧伯纳：《革命者的箴规》

只有满怀自信的人，才能在任何地方都怀有自信，沉浸在生活中，并实现自己的意志。

高尔基：《高尔基论儿童文学》

我不赞美行为，赞美的是人的精神。行为只是精神的外衣，历史仅是人类古老的脱衣场。不过残存着旧衣服的眷恋之情。

海涅：《机智、睿知、热情——意大利》

勤勉而顽强地钻研，永远可以使你百尺竿头更进一步。

舒曼：《舒曼论音乐与音乐家》

出类拔萃的人都是通过痛苦而得到欢乐。

巴赫：《贝多芬》

如果竭尽自己最大努力仍然还是一无所得，所剩下的只是善良意志，它诚如沉睡的宝石一样，自身就发射着耀目的光芒，自身之内就具有价值。

康德：《道德形而上学原理》

振兴世界的办法是人人都做好眼前的工作，切不可好高骛远，只求大功。

查·金斯莱：《书信集与回忆录》

我的想法是：永远前进。如果上帝要人后退的活，他就会使人的脑后长着眼睛。我们必须永远朝着黎明、青春和生命那方面看。倒下去的正在鼓励站起来，一棵古树的破裂，就是对新生的树的号召。

雨果：《九三年》

勤劳·勇敢

　　一时的成就是以多年失败的代价而取得的。

勃朗宁

　　一往无前，愈挫愈勇。

孙中山

　　一个人可以做到他想做的一切，需要的只是坚韧不拔的毅力和持久不懈的努力。

高尔基

　　一经打击就灰心泄气的人，永远是个失败者。

（英）毛姆

　　人们从失败的种子内可吸出得意自负的狂妄汁液。

劳伦斯

　　人生就是战斗。

罗曼·罗兰

乞火不若取燧,寄汲不若凿井。

《淮南子》

凡事须尽力而为,半途而废者,永无成就。

爱因斯坦

凡是决心取得胜利的人是从来不说"不可能"的。

拿破仑

千淘万漉虽辛苦,吹尽狂沙始到金。

刘禹锡

山不厌高,海不厌深。

曹操

不苟苦而求速效,只落得少日浮夸,老来窘隘而已。

郑板桥

不经过折磨和痛苦就不会有收获。

(汉族)谚语

不将辛苦意,难得世人才。

《金瓶梅词话》

不要只因一次挫败,就放弃你原来决心想达到的目的。

莎士比亚

天上没有永不消失的云雾,也不可能永远是晴空万里。

(印度尼西亚)卡蒂妮

天才只不过是血汗的结晶。

（阿拉伯）谚语

天才在于积累，聪明在于勤奋。

华罗庚

天才是百分之一的灵感，加上百分之九十九的血汗。

爱迪生

天才就是永恒的耐心。

米开朗基罗

心灵的高卧不起，叫做懒惰。

沃夫拿格

世上无难事，只怕有心人。

（明）吴承恩

宁可身骨苦，不叫面皮羞。

（中国）梁信

必须先付足了代价的人，才能"如愿以偿"。

（中国）邹韬奋

必须在奋斗中求发展、求生存。

（中国）茅盾

失败可以是一块踏脚石，也可以是一块绊脚石。

（美）希尔

只要你持久地奋力争取，充分利用有利的条件，最后，你就能够达到目的。

伊索

　　只要坚韧不拔，即使十九次失败，第二十次终能成功。

安徒生

　　千里之行，始于足下，要建筑百丈高楼，不先打好地基是不行的。

夏衍

　　对于一个努力奋斗的人来说，困难就在于既认可同时代长者的优点，而又不让他们的缺点妨碍自己。

（法）歌德

　　永远勤奋的人，命运一定倍加垂青。

（印度）谚语

　　生来奔走万山中，踏尽崎岖路自通。

邓拓

　　任何新生事物的成长都是经过艰难曲折的。

毛泽东

　　休息与幸福乃人人所渴望，要得到它们，唯有勤勉一途。

（德）肯比斯

　　多数人的失败，都始于他们对于企图做的事情能力的疑惑。

（英）斯谷脱

好钢铁经过锤打,就发出强烈的火光。

(古巴)何塞·马蒂

如果不努力的话,连芝麻粒也压榨不出香油来。

《五卷书》

如果良机不来,你就自创良机。

史迈尔

如果怠惰不产生恶习或祸患的话,它通常产生沮丧。

史密斯

岂不罹凝寒,松柏有本性。

(三国)刘桢

成功网罗着大量的过失。

萧伯纳

成功等于艰苦劳动加正确方法加少说空话。

爱因斯坦

成果是辛勤劳动的报酬。

(希腊)谚语

成德每在因穷,败身多因得志。

(清)王豫

汗水和收获是最忠实的伙伴,理想和勤奋是最亲密的情人。

(汉族)谚语

池中游着的大鲤鱼，不如已在桌上的小鲤鱼。

（保加利亚）谚语

自己的手就是大自然的统治者。

（尼泊尔）谚语

那些即使遇到了机会，还不敢自信必能成功的人，只能得到失败。

（法）叔本华

你怕狼，就别到深林里去。

列宁

告诉你使我达到目标的奥秘吧，我唯一的力量就是我的坚持精神。

（法）巴斯德

如果缺乏努力和意志，如果不肯牺牲和劳动，你自己就会一事无成。

（俄）赫尔岑

努力是成功之母。

（西班牙）塞万提斯

即将来临的灾难，总是把影子投向前方。

甘贝尔

困难会使人心智坚强，一如勤劳会使人身躯强壮。

（古罗马）辛尼加

困难是懦夫回头的便桥,也是勇士前进的阶梯。

(汉族)谚语

坚强者能在命运风暴中奋斗。

爱迪生

我们付出最大代价获得的东西对我们最具价值。

(法)蒙田

我们的人生随我们花费多少努力而具有多少价值。

(法)莫里亚克

我的杯子不大,但我是用自己的杯子喝水。

(法)缪塞

每日勤劳一时,积至十年,虽愚亦智。

(英)史迈尔

每事浅尝则止,便会一无所成。

(法)蒙田

没有希望的地方就没有奋斗。

约翰逊

没有侥幸这一回事,似乎最偶然的意外都是事有必至的。

爱因斯坦

灾难是保全实力的测验。

(英)利查生

卓越的人一大优点是:在不利的艰难境遇里能够百折不挠。

贝多芬

学问勤乃有,不勤腹中空虚。

(明)郑之珍

学问勤中得,莹富万卷书。

《神童诗》

怕走崎岖路,莫想攀高峰。

(罗马尼亚)谚语

所谓活着的人,就是不断挑战的人,不断攀登命运峻峰的人。

雨果

玫瑰会在荆棘中生长。

(古巴)何塞·马蒂

知识是一个封闭的富矿,打开它的钥匙是持之以恒的努力。

(阿拉伯)谚语

艰难是成功者的良师,贫困是自立者的学校。

(阿拉伯)谚语

诚实和勤勉,应该成为你永久的伴侣。

富兰克林

贤者造出机会多于发现机会。

培根

勉之期不止,多获由于耘。

欧阳修

哪儿有勤奋,哪儿就有成功。

(老挝)谚语

怠惰是各种祸害的道路。

乔叟

恃人不如自恃。

《韩非子》

在故江河之水,非一源之出也;千镒之裘,非一狐之白也。

《墨子》

要做个真诚而奋发努力的人。

歌德

除了通过黑夜的道路,人们不能到达黎明。

(黎巴嫩)纪伯伦

倒在地上的人就不再需要害怕跌倒了。

(英)班扬

真理同懒惰不结缘。

(阿拉伯)谚语

能勤小物,故无大患。

(汉)刘向

莫道君行早，还有早来人。

《三侠五义》

被克服的困难就是胜利的契机。

丘吉尔

读书与磨剑，旦夕但忘疲。倘若功名立，那愁变化迟。

（唐）李中

谁肯下功夫，谁就能在顽石中找到宝贝。

（维吾尔族）谚语

谁笑到最后，谁笑得最好。

（法）狄德罗

铁棒磨绣针，功到自然成。

《儿女英雄传》

惟坚韧者始能遂其志。

（美）富兰克林

笨鸟先飞早入林。

（元）关汉卿

野心很了解在飞翔的同时必须匍匐。

（英）柏克

惰性是气息尚存的死亡。

（加拿大）谚语

敏捷的人往往过于自信，迟钝而坚持不懈的人常常赢得胜利。

（古希腊）伊索

勤勉，不浪费时间，每时每刻做些有用的事，戒掉一切不必要的行动。

富兰克林

普通人被卷入行动，英雄则自己行动。

（美）亨利·米勒

最大的困难就在于我们不去寻找困难。

（德）张德

最简单的音调，需要最艰苦的练习。

（印度）泰戈尔

环境愈艰难困苦，就愈需要坚定毅力和信心，而且懈怠的害处也就愈大。

（俄）托尔斯泰

集中意志，全力以赴，它就是我们的方式。

大仲马

勤劳而以恬淡出之最有意味。

曾国藩

勤劳意味着万物不缺，懒惰意味着一无所有。

（尼泊尔）谚语

勤奋是成功之母。

富兰克林

勤奋能使无的变近,勤奋能使门径洞开。

(摩洛哥)伊本·白图泰

勤奋就有所得,种植就有收获。

(阿拉伯)谚语

勤勉而顽强地钻研,永远可以使你百尺竿头更进一步。

(德)舒曼

勤能补拙是良训,一分辛苦一分才。

华罗庚

想一蹴而就,希望明天什么都会好起来。这是办不到的。

高尔基

鼓励自己的最好的办法,就是鼓励别人。

马克·吐温

精之又精,习与性成。

(清)魏源

靠人不如靠自己。

(清)黄小配

懒惰的道路充满荆棘。

(丹麦)谚语

懒惰是世界最大的奢侈。

(英)谚语

默认自己无能，无疑是给失败制造机会!

拿破仑

越是黑暗，英雄的名字越闪光。

(苏丹)谚语

 # 创造·超越

一个人想做点事业，非得走自己的路。

(美)李政道

人要学会走路，也要学会摔跤，而且只有经过摔跤他才能学会走路。

马克思

一个具有天才性格的人，绝不遵循常人的思想途径。

(法)司丹达

人人都想改变世界，但却谁也不想改变自己。

托尔斯泰

人生并不只是为命运所左右的。

池田大作

人间没有永恒的夜晚，世界没有永恒的冬天。

(中国)艾青

人类有无数的过失，固守过失乃是最愚蠢的。

(古罗马)的塞罗

人虽然以环境为媒介，但也有否定环境的创造性的自由。

(日本)柳田谦十郎

凡是前进的东西，都是从落后的东西发展而来的。

徐特立

大石拦路，弱者视为前进的障碍；勇者视为前进的阶梯。

普希金

山虽高，仍在日月之下。

(巴基斯坦)谚语

以书本作为大部分行为依据的人，抛开书本会干得更多。

(英)布朗

不泥古法，不执已见，惟在活而已矣。

郑板桥

不经过迷惑，你总不会聪明；要成长，你总要独创才行。

歌德

不指出恩师的谬误才是恩将仇报。

(日本)北里柴三郎

不要在你父兄的帐篷里沉睡——时代在发展，紧跟它向前吧！

(意大利)马志尼

从探讨一个问题开始就要确信你一定能用某种方式解决它。

布朗尼科夫斯基

世上没有绝对的成功，人外有人，天外有天。

罗兰

一个新的想法是非常脆弱的，它可能被一声嗤笑或一个哈欠扼杀。

布劳尔

去其糟粕，取其精华。

毛泽东

一个普通人只能做出规规矩矩的东西，只有非凡的天才才能驾驭创作。

雨果

只有陈腐的学究才要求凡事都离不开权威。

歌德

失败是愚者的结论。

富兰克林

平凡之中自有不平凡之处。

(日本)铃木健二

生命的第一个行动是创造的行动。

罗曼·罗兰

生活中的主要危险来自想要改变一切，或什么也不想改变的人。

阿斯特夫人

生活和全部意义在于无穷地探索尚未知道的东西，在于不断地增加更多的知识。

左拉

生路是要用勇气探出来、走出来、造出来的。

陶行知

任何事情都有它适当的重点。

（奥地利）里尔克

创造困难，而模仿容易。

（意大利）哥伦布

创造是前进，改良是落后。

陶行知

如果不相信自己，不相信自己的力量，除了幻想和神话外，什么也创造不出来的。

高尔基

死人才无意于创造。

陶行知

如果我比笛卡儿看得远些,那是因为我站在巨人的肩上的缘故。

牛顿

只有能够批判,才能把前人科学工作成果中对的继承、吸收,错的去掉。

钱学森

当困难来访时,有些人跟着一飞冲天,也有些人因之倒地不起。

托尔斯泰

有发明之力者虽旧必新,无发明之力者。虽新必旧。

陶行知

杀虎者饱餐虎肉,畏虎者葬身虎口。

(阿拉伯)谚语

江山代有才人出,各领风骚数百年。

(清)赵翼

百尺竿头须进步,十方世界是全身。

(宋)释道原

至上的成就必有困难相随。

(古罗马)奥维德

在成功的阶梯上,越到上面越不拥挤。

希尔

"安息日是为人设立的，人不是为安息日设立的"，这句话后被用以说明不要墨守那些于人无益的规矩或习俗。

《圣经》

阵痛是新生命的准备，苦恼是新突破的序曲。

王蒙

在科学发展的道路上跟在别人后面爬行，是永远跟不上的。

加藤与五郎

吸取你的前辈所做的一切。然后再往前走。

列夫·托尔斯泰

创造新陆地的，不是那滚滚的波浪，却是它底下的细小的泥沙。

冰心

当你排除所有的不可能之后，所剩省下来的，无论是什么，必定是真实的。

(英)柯南道尔

困难是懦夫回头的起点，也是战士前进的起点。

(汉族)谚语

应该是三分条件，七分创造。

徐特立

技无大小，贵在能精。

(清)李渔

时止则止，时行则行，而不胶于一。

（清）顾炎武

每一种挫折或不利的突变都带着同样或较大的有利的种子。

爱默生

"学习"是"创造"的前提，又是"创造"的过程。

茅盾

松本无声，风入涛生；铜本非镜，镜成生明。

《长松茹退》

果实成熟，何以见得？只因它离开枝头。

（法）纪德

沿着圈子走路的人，永远也不会走到尽头。

（菲律宾）谚语

经一番挫折，长一番见识。

（清）申涵光

思想停滞就不能有新的发现。

茅盾

既要写出同中之异，又要写出异中之同。

茅盾

诗人读死书，可以把书读活。

郭沫若

我们常常死死盯着那扇关闭的门,以至于看不到另一扇为我们而开的门。

(瑞士)凯勒

每个人都是应该坚持走他为自己开辟的道路,不被权威所吓倒,不受流行的观点所牵制,也不被时尚所迷惑。

歌德

若皆与世沉浮,不事树立,虽不为当时所怪,亦必无后世之传也。

韩愈

独出心裁、独辟蹊径。

叶圣陶

经验贵在自己创造。

叶圣陶

科学上的每次重大进步都源自大胆新颖的设想。

杜威

要用创造精神去从事科学研究和其他一切工作。

钱三强

这风逐电之足,决不在于牝牡骊黄之间。

(明)李贽

害怕困难的人一事无成。

(汉族)谚语

要前进就不能坐着等待，就要去创造。而要创造就要克服困难，不能贪图好环境好条件。

徐特立

乘坐旧时的马车哪儿也去不成。

高尔基

害怕困难是懦弱的影子，勇往直前是成功的方向。

(汉族)谚语

真正所谓成就，也就是在前人的知识和经验的基础上有所发展。

邓拓

真正独树一帜的只有少数人，多数都是跟在别人屁股后面转悠的。

歌德

继承和借鉴决不可以变成替代自己的创造。

毛泽东

读书是间接的交友方式，也是向创造迈出的第一步。

(日本)箱畸总一

通向人类真正伟大的道路只有一条——苦难的道路。

爱因斯坦

最卓越的东西也常是最难被理解的。

爱迪生

跛足而不迷路，能赶上虽健步如飞但误入歧途的人。

培根

愈是对自己的作为加以思考，这种由自我进行的自我创造就愈加完整。

柏格森

新的观念时常毫无理由的被怀疑及反对，只因为人们习惯旧有的东西。

（英）洛克

懦夫把困难当作沉重的包袱，勇士把困难化成前进的阶梯。

（汉族）谚语

治学篇

学海无涯

论读书尽信书,则不如无书。

孟轲:《孟子·尽心章句广》

　　读书须是遍布周满。某尝以为宁详毋略,宁下毋高,宁拙毋巧,宁近毋远。

朱熹:《朱子语类大全》

　　读书有三到:谓心到、眼到、手到。心不在此,由眼看不仔细,心眼既不专一,决不能记,记不能久也。三到之中,心到最急。心既到矣,眼口岂不到乎?

朱熹:《训学斋规》

名到没世称才好，书到今生读已迟。

袁枚：《随园诗话》

书富如入海。百货皆有。人之精力不能兼收尽取。但得其所欲求者尔！

苏轼：《又答王庠书》

士人读书，第一要有志，第二要有识，第三要有恒。有志，则断不甘为下流；有识，则知学问无尽，不敢发一得自足，如河伯之观海，如井蛙之窥天，皆无见识也；有恒，则断无不成之事。此三者缺一不可。

曾国藩：《曾国藩家书》

有关家国书常读，无益身心事莫为。

徐特立：《古今名人对联》

优秀的书籍像一个智慧善良的长者。搀扶着我，使我一步步向前走，并且逐渐懂得了世界。

秦牧：《秦牧散文集》

能读不能行，所谓两足书橱。

申居郧：《西岩赘语》

一日不书，百事荒芜。

魏收：《魏书·邢峦李平列传》

学者读书穷理，须有实见，然后验于身上，体而行之；不然，无异买椟还珠也。

张伯行：《薛敬轩先生传》

人是活的，书是死的。活人读死书。可以把书读活。死书读活人，书可以把人读死。

郭沫若:《游太糊蠡园为游人题词》

精神上最好的避难所还是书本：它们既不会忘了你，也不会欺骗你。

罗曼·罗兰:《约翰·克利斯朵夫》

阅读所有的好书，的确如同与历代最高贵的人交谈一样，他们是过去年代那些书的作者，不但如此，这种交谈的内容还是作者经过深思熟虑的，在其中展现给我们的不是别的，而是他们最优秀的思想。

笛卡尔:《论正确指导心灵的方法》

不读坏书，是读好书的一个条件；因为人生短促，时间和精力都是有限的。

叔本华:《书籍与阅读》

在我游览过书的太阳系里，学校里读的书像地球，而校外读的书则是太阳。

泰戈尔:《新郎与新娘》

人们说得好，老田里年年产新谷。同样，旧书中也一定能学到新知识。

乔叟:《众鸟之会》

经验丰富的人读书用两只眼睛，一只眼睛看到纸面上的话，另一只眼睛看到纸的背后。

歌德:《待人接物》

不是我造就了书，而是书造就了我。

蒙田：《随笔集》

书籍是人类进步的阶梯。

高尔基：《论文学》

书籍好比食品。有些只须浅尝，有些可以吞咽。只有少数需要仔细咀嚼，慢慢品味。

培根：《随笔集》

读书在于造成完全的人格。

培根：《培根论说文集》

书籍是在时代的波涛中航行的思想之船，它小心翼翼地把珍贵的货物送给一代又一代。

培根：《培根论说文集·论学问》

书籍是全世界的营养品。生活里没有书籍，就好像大地没有阳光；智慧里没有书籍，就好像鸟儿没有翅膀。

莎士比亚：《莎士比亚戏剧集》

为学正如撑上水船，一篙不可放缓。

朱熹：《朱熹语录》

人要有专业，认定一事做去，心便不及旁用。

申居郧：《西岩赘语》

学易而好难，行易而力难，耻易而知难。

王夫之：《俟解》

少而好学，如日出之阳；壮而好学，如日中之光；老而好学，如炳烛之明。

刘向：《说苑》

行之苟有恒，久久自芬芳。

崔瑗：《座右铭》

夫君子之行，静以修身，俭以养德，非淡泊无以明志，非宁静无以致远，夫学须静也，才须学也，非学无以广才，非志无以成学。淫慢则不能励精，险躁则不能治胜。年与时驰，意与日去，遂成枯落，多不接世，悲守穷庐，将复何及！

诸葛亮：《诸葛亮集》

业精于勤，荒于嬉；行成于思，毁于随。

韩愈：《进学解》

君子之学必日新，日新者，日进也。不日新者必日退，未有不进而不退者。

程颢、程颐：《二程集·畅潜道录》

剑虽利，不厉不断；材虽美，不学不高。

韩婴：《韩诗外传》卷三

与其欲速而不达，何如日进而有功；与其改之于方来，何如图之于其始。

王国维：《静庵文集续编·教育普及之根本办法》

常助人则卑劣之感情自少，常进取则向上之精神愈大。

恽代英：《来鸿去燕录·致遁庵书》

似乎是每一本书都在我面前打开了一扇窗户,让我看到了一个不可思议的新世界。

高尔基:《论文学》

人生世上,不持功勋事业,道德文章,足以流芳百世,垂名不朽,就是那一长一技之微,若果能专心致至,亦足以轶类起群,独步一时。

褚人获:《隋唐演义》

凡人做一事,便须全副精神注在此一事,首尾不懈,不可见异思迁,做这样,想那样,坐这山,望那山。人而无恒终身一无所成。

曾国藩:《曾国藩家书》

天分高的人如果懒惰成性,亦即不自努力地发展他的才能,则其成就也不会很大,有时反会不如天分比他低些的人。

茅盾:《茅盾论创作》

古今中外有学问的人,有成就的人,总是十分注意积累的,知识就是积累起来的,经验也是积累起来的,我们对什么事都不应该像"过眼烟云"。

邓拓:见《忆邓拓》

像屋檐水一样,一点一滴,滴穿阶沿石。点滴的创造固然不如整体的创造,但不要轻视点滴的创造而不为,呆望着大创造从天而降。

陶行知:《陶行知教育论文选辑》

我们倘能把种种问题用大刀阔斧来同时解决岂不痛快!世上做这种梦的人确实不少。无如天下事没有这样容易,我们的精力也很有限,要想把一切问题同时解决,结果必定是一个问题也不能解决。倒不如按着自己的能力,看准一件具体的事,聚精会神的来干它一下。如果我们对于一件事肯专心继续的努力去干,一定有解决的希望。

陶行知:《陶行知文集》

没有书籍,就不能打赢思想之战,正如没有舰只不能打赢海战一样。

罗斯福:见《名人论读书》

聪明人会把凡是分散精力的要求置之度外,只专心致志地去学一门,学一门就要把它学好。

歌德:《歌德谈话录》

知而好问,然后能才。

荀况:《荀子·儒效篇》

登山始觉天高广,到海方知浪渺茫。

王博:《谢进士第翼投诗两轴》

这世界上真有成就的往往不是第一流的聪明人,而是第二流的聪明加第二流的愚笨的那种人。太聪明,就把什么都看开了。他不肯做傻事,花笨功夫,不肯找难题让自己受苦,所以,他就没有希望了。

罗兰:《罗兰小语·目标》

"难"也是如此,面对悬崖峭壁,一百年也看不出一条缝来,但用斧凿,能进一寸进一寸,得进一尺进一尺,不断积累,飞跃必来,突破随之。

华罗庚:《学习,学习,再学习》

什么东西只有抓得很紧，毫不放松，才能抓住。抓而不紧，等于不抓。伸着巴掌，当然什么也抓不住。就是把手握起来，但是不握紧，样子像抓，还是抓不住东西。

毛泽东：《党委会的工作方法》

我原以为我无所不知，但我现在承认，我知道得越多，我知道得就越少。

罗·欧文：《文集》

在科学上没有平坦的大道，只有不畏劳苦沿着陡峭山路攀登的人，才有希望达到光辉的顶点。

马克思：《〈资本论〉法文版序幕》

卓越的艺术成就只有用眼泪才能取得。谁不准备受折磨，谁就不会有信心。

安格尔：《安格尔论艺术》

一个人的知识越多，他去获取新的知识就越容易。

苏霍姆林斯基

我的格言始终是："没有一天不动笔；如果我有时让艺术之神瞌睡，也只是为了要使他醒了以后更兴奋。"

贝多芬：《致韦该勒书》

科学的灵感，决不是坐等可以等来的。如果说，科学上的发现有什么偶然的机遇的话。那么这种"偶然的机遇"，只能给那些学有素养的人，给那些善于独立思考的人，给那些具有锲而不舍的精神的人，而不会给懒汉。

华罗庚：见《文汇报》1980 年 8 月 20 日

即使通过自己的努力而知道一半真理,也比人云亦云地知道全部真理还要好些。

罗曼·罗兰

使你的父亲感到荣耀的莫过于你以最大的热诚继续你的学业,并努力奋发以期成为一个诚实而杰出的男子汉。

贝多芬:《贝多芬语录》

知·行

学而不思则罔,思而不学则殆。

孔丘:《论语·为政篇》

君子有三患:未之闻,患弗得闻;既闻之,患弗能学;既学之,患弗能行。

孝元皇帝:《金楼子·立言篇》

君子知之为知之,不知为不知,言之要也;能之为能,不能为不能,行之至也。

《孔子集语·公索氏》

不广泛地吸收,是谈不到博大精深的。一条大河总得容纳无数的小溪、小河的流水,一座几千米的高山总得以一个高原作为它的基座。小小的水源,最多只能形成一个湖沼;荡荡的平川,也不会有什么戴着冰雪帽子的高峰。

秦牧:《蜜蜂的赞美》

合抱之木,生于毫末;九层之台,起于垒土;千里之行,始于足下。

老聃:《道德经》

善学者尽其理,善行者究其难。

荀况:《荀子·大略篇》

知之者不如行之者。

《中悦·礼乐篇》

君子博学而日参省乎已,则知明而行无过矣。

荀况:《荀子·劝学篇》

人之患在好为人师。

孟轲:《孟子·离娄章句上》

人才虽高,不务学问,不能致圣。

刘向:《说苑·说丛》

心不在学而强讽诵,虽入于耳内而不谛于心,譬若聋者之歌,效人为之,无以自乐,虽出于口,则越散矣。

刘昼:《刘子·专学》

玉不琢,不成器;人不学,不知道。

《礼记·学记》

人不博览者,不闻古今,不见事类,不知然否,犹目盲、耳聋、鼻痈者。

王充:《论衡·别通》

圣人之所以为圣也，只是好学下问。

张伯行辑：《朱子语类辑略》

行之力，则知愈深；知之深，则行愈达。

张伯行：《学规类编》

学者贵于行之，而不贵于知之。

司马光：《答孔文仲司户书》

知之必好之，好之必求之，求之必得之。

朱熹：《近思录》

知之愈明，则行之愈笃；行之愈笃，则知之益明。

朱熹：《朱子语类》

少有所得，则欣然以天地之美为尽在已，自以为至足，乃是自暴自弃。

黄宗羲：《宋元学案》

虽有良玉，不刻镂则不成器；虽有美质，不学则不成君子。

韩婴：《韩诗外传》卷八

胜我者我师之，仍不失为起予之高足；责我者我友之，亦不愧为攻玉之他山。

李渔：《闲情偶寄·结构》

境遇休怨我不如人，不如我者尚众；学问休言我胜于人，胜于我者还多。

李惺：《西沤外集·药言剩稿》

学如逆水行舟,不进则退;心似平原走马,易放难收。

《古今对联集锦·治学联》

临大难,当大事,不可无学术。

冯班:《钝吟杂录·家戒下》

非知之难,行之惟难;非行之难,终之斯难。

魏证:见《唐宋文举要·十渐不克终疏》

迷而知反,得道未远。

魏收:《魏书·宋翻列传》

学,行之,上也;言之,次也;教人,又其次也;咸无焉,为众人。

扬雄:《法言·学行》

不勤于始,将悔于终。

吴兢:《贞观政要·尊敬师傅》

学于圣人,斯为贤人;学于贤人,斯为君子;学于众人,斯为圣人。

章学诚:《文史通义·原道上》

一切人世艰难之事,无不可以老我之才,增我之智,勿谓无关学问也。

钱咏:《履园丛话》

学须反已。若徒责人,只见得人不是,不见自己非。若能反已,方见自己有许多未尽处,奚暇责人?

王阳明:《王阳明全集·传习录》

苦苦苦,不苦如何通今古?

曹端:《书户》

不躬行,便如水行得车,陆行得舟,一毫受用不得。

金缨:《格言联璧·学问类》

以积货财之心积学问,以求功名之心求道德。

金缨:《格言联璧》

古人进步最大的理由,是在能实行。能实行便能知,到了能知,便能进步。

孙中山:《说知难行易》

穷苦和学问是好友,富贵和学问是仇敌。

陶行知:《陶行知文集·学问之要素》

行动生困难;困难生疑问;疑问生假设;假设生试验;试验生断语;断语又生了行动,如此演过于无穷。

陶行知《陶行知文集》

勤能补拙是良训,一分辛劳一分才。

华罗庚:1979 年 1 月 1 日《中国青年报》

怀疑并不是缺点,总是怀疑,而并不下断语,这才是缺点。

鲁迅:《且介事杂文末编·我要骗人》

不驰于空想,不骛于虚声,而惟以求真的态度作踏实的功夫,以此态度求学,则真理可明;以此态度作事,则功业可就。

李大钊:《李大钊全集·祝你成才》

只看一个人的著作，结果是不大好的，你就得不到多方面的优点，必须像蜜蜂一样，采过许多花，这才能酿出蜜来，倘若只在一处，所得就非常有限，枯燥了。

鲁迅:《致颜黎民(1936 年 4 月 15 日)》

在人的一生中，会遇到各种各样的困难和挫折，也就是大家常说的逆境，逆境是不愉快的，但逆境并不能因为我们不喜欢就不到来。我们应该充分利用逆境，抓紧时间学习。等逆境过后，看到自己的进步和收获，意义不同寻常。

夏承焘:《谈谈我的学问经历》

嗜欲正浓时，能斩断，怒气正盛时，能接纳，此皆学问得力处。

申涵光:《荆园小语》

不管你预备走哪一条路，顶顶要紧的是要先为自己做好准备。你不能赤手空拳地开始你的行程，你须用知识把自己武装起来，你必须锻炼出健壮的身体和足够的勇气。

宋庆龄:《什么是幸福》

不知道自己的无知，乃是双倍的无知。

柏拉图:《理想国》

无论天资有多么高，他仍需要学会了技巧来发挥那些天资。

卓别林:见《卓别林自传》

懒于思索，不愿意钻研和深入理解，自满或自足于微不足道的知识，都是智力贫乏的原因。这种贫乏通常用一个词来称呼，这就是"愚蠢"。

高尔基:见《高尔基论青年》

一个诚实的人决不会放过一个真正的疑点。

沃·马隆:《不对知论的信条》

最弱的人,集中其精力于单一目标,也能有所成就;反之,最强的人,分心于太多事务,可能一无所成。

卡莱尔:《卡莱尔演讲集》

在所阅读的书本中找出可以把自己引到深处的东西,把其它一切统统抛掉,就是抛掉使头脑负担过重和会把自己诱离要点的一切。

爱因斯坦:《成功者的奥秘》

有研究兴味的人是幸福的,能够通过研究使自己的精神摆脱妄念,并使自己摆脱虚荣心的人更加幸福。

拉美特利:《人是机器》

独辟蹊径才能创造出伟大的业绩,在街道上挤来挤去不会有所作为。

威·布莱克:《格合诗集》

与其做愚蠢的智人,不如做聪明的愚人。

莎士比亚:《第十二夜》

无论你腹中有多少知识,假如不用便是一无所知。

萨迪:《蔷薇园》

学者若不能择善而行,便如盲人手持火炬、他能引导别人,不能引导自己。

萨迪:《蔷薇园》

世上最艰巨的使命是什么？思考。

爱默生:《智慧》

不愿学习旁人的民族，没有不归于灭亡的。

闻一多:《闻一多全集·杂文·复古的空气》

学问不都是在书本上得来的，在事实上得到的经验，也是学问。

陈毅安:见《革命烈士书信·给未婚妻的信》

用一个大圆圈代表我学到的知识，但是圆圈之外是那么多的空白，对我来说就意味着无知，而且圆圈越大，它的圆周就越长，它与外界空白的接触面也就越大。由此可见，我感到不懂的地方还大得很呢！

爱因斯坦:《获奖致辞》

凡是你不知道的事，都应向人请教。虽然这会有失身份，学问却会日渐加深。

萨迪:《蔷薇园》

知识·智慧

科学不但能"给青年人以知识，给青年人以快乐"，还能使人习惯于劳动和追求真理，能为人民创造真正的精神财富和物质财富。

门捷列夫:《化学基础》

去小智而大智明。

庄周:《庄子·外物》

事难成而易败,名难立而易废。

刘安:《淮南子·人间训》

人之知识,若登梯然,进一级,则所见愈广。

陆九渊:《语录》

智而好谋必成。

《太平御览·人事部》

任何一种容器都装得满,唯有知识的容器大无边。

徐特立

观察和经验和谐地应用到生活上去便是智慧。

冈察洛夫:《悬崖》

博学的人是知识的蓄水池,而不是源泉。

诺思科特:《席间闲谈》

智多勇少,实力难言;勇多智少,大事难成。

蔡锷:《蔡锷集·(曾胡治兵语录)序及按语》

没有智慧的蛮力是没有什么价值的。

克雷洛夫:《克雷洛夫寓言·狮子和人》

没有智慧的头脑,就像没有蜡烛的灯笼。

列夫·托尔斯泰:《战争与和平》

重要的不是知识的数量,而是知识的质量,有些人知道很多很多,但却不知道最有用的东西。

列夫·托尔斯泰:《散论》

当我们得到理解的时候,智慧是不会枯竭的;智慧同智慧相碰,就迸溅出无数火花。

马尔林斯基:《考验》

你不能赤手空拳地开始你的行程,你必须用知识把自己武装起来。

宋庆龄:《什么是幸福》

科学需要一个人贡献出毕生的精力。假定你们有两次生命,那还是不够的。科学需要一个人有极紧张的工作和伟大的热情。

巴甫洛夫:《巴甫洛夫选集》第1卷

人的知识愈广,人的本身也愈臻完善。

高尔基:《文学的财界性》

知识——这是人所具有的最强大的一种力量。

高尔基:《高尔基论报刊》

正直但无知识是软弱的,也是无用的;有知识但不正直是危险的,也是可怕的。

塞·约翰逊:《拉塞勒斯》

寻求真理的只能是独自探索的人,和那些并不真正热爱真理的人毫不相干。

帕斯捷尔纳克:《日瓦戈医生》

草木不霜雪,则生意不固;人不忧患,则智慧不成。

魏源:《占微堂内集·治篇》

对知识的渴求是人类的自然意向,任何头脑健全的人都会为获取知识而不惜一切。

塞·约翰逊:见《约翰逊传》

知识犹如海洋,那些在海面上手舞足蹈和拍击作响的人,往往要比默默无闻钻入未经考察的海底去探寻宝藏的采珠者更加名噪一时,从而更加引人注目。

欧文·华盛顿:《致青年公民》

永远不要企图掩饰自己知识上的缺陷,即使用最大胆的推测和假设去掩饰,这也是要不得的。不论这种肥皂泡的色彩多么使你们炫目,但肥皂泡必然是要破裂的,于是你们除了惭愧以外,是会毫无所得的。

巴甫洛夫:《给青年们的一封信》

一盎司自己的智慧抵得上一吨别人的智慧。

斯特因:《特里斯脱兰·香代》

人类有一个暴君,那就是愚昧。

雨果:《悲惨世界》

当人类的知识不多的时候,一个人就可以成为智者,但在今天,由于探索的领域内容太丰富,一个人必须要有专业,必须刻苦钻研某一专门的科学。于是,哲学家不再是智者,而只是专科学者了。

狄慈根:《狄慈根哲学合作选集》

王权是一种伪造的权力，只有知识才是真正的权力。人类只应当受知识的统治。

雨果：《悲惨世界》

精神上的各种缺陷，都可以通过求知来改善——正如身体上的缺陷，可以通过运动来改善一样。

培根：《培根论人生》

读史使人明智，读诗使人智慧，演算使人精密，哲理使人深刻，伦理学使人有修养，逻辑修辞使人善辩。总之，"知识能塑造人的性格。"

培根：《培根论人生》

知识是一种快乐，而好奇则是知识的萌芽。

培根：引自《付津辞典》

知识和智慧没有多大差别。

培根：《学识的增长》

天生的才能就像自然生长的树一样，需要用学问来整修。

培根：《随笔集》

在每个国家，知识都是公共幸福的最可靠的基础。

华盛顿：《华盛顿文选》

世上只有一样东西是珍宝，那就是知识，世上只有一样东西是罪恶，那就是无知。

苏格拉底：《苏格拉底传》

知识是青年人最佳的荣誉、老年人最大的慰藉、穷人最宝贵的财产、富人最珍贵的装饰品。

> 第欧根尼:见《第欧根尼传》

掌握无论哪一种知识智力都是有用的。它会把无用的东西抛开而把好的东西留住。

> 达·芬奇:《笔记》

最好的灵魂转世莫过于我们能附在别人的身上再生。

> 歌德:《科学》

智慧只存在于真理之中。

> 歌德:《歌德的格言和感想集》

智慧总是力量的劲敌。

> 菲得洛斯:《寓言集》第一卷

知识是一切美德之母,而所有罪恶都出自无知。

> 蒙田:《人生随笔》

智慧如同大海,人们不知道它的深浅。

> 伊本·穆加发:《卡里来和笛木乃》

对知识的渴望如同对财富的追求,越追求,欲望就越强烈。

> 斯特思:《特利斯川·项狄传》

当荣耀的太阳西坠,钱财耗尽,至珍的知识却依旧放射着光芒。

> 爱·科克:《管天文的缪斯神》

知识诱发智慧，是打开智慧大门的钥匙，但它不等于就是智慧。

池田大作:《青春寄语》

只有知识，才能构成巨大的财富源泉，既使土地获得丰收，又使文化繁荣昌盛。愚昧从来没有给人们带来幸福，幸福的根源在于知识；知识会使精神和物质浇灌的原野变成肥沃的土地，每年它的产品将以十倍的增长率，给我们带来财富。

左拉:《左拉作品选·真理》

对"生命"来说，知识是必需品。因为没有知识，人活着就像是死亡。

萧伯纳

读书足以怡情，足以博采，足以长才。

朱熹

立身·自重

君子耻有其服而无其容;耻有其容而无其辞;耻有其辞而无其德;耻有其德而无其行。

《礼记·表记》

以富而能富人者,欲贫不可得也;以贵而能贵人者,欲贱不可得也;以达而能达人者,欲穷不可得也。

《孔子家语·六本》

君子贵人贱己,先人而后己。

《礼记·坊记》

君子忧道不忧贫。

孔丘:《论语·卫灵公篇》

克己复礼为仁。一日克己复礼,天下归仁焉。

孔丘:《论语·颜渊篇》

尊德乐义,则可以嚣嚣矣。故士穷不失义,达不离道。穷不失义,故士得已焉;达不离道,故民不失望焉。古之人,得成泽加于民;不得志,修身见于世。穷则独善其身,达则兼善天下。

孟轲:《孟子·尽心章句上》

仓廪实则知礼节,衣食足则知荣辱。

管仲:《管子·牧民》

人无弘量,但有小谨,不能大立也。

管仲:《管子·小谨》

成功立事,必须于礼义,故不礼不胜天下,不义不胜人。

管仲:《管子·七法》

道虽迩,不行不至;事虽小,不为不成。

荀况:《荀子·修身篇》

多行不义,必自毙。

《左传·隐公元年》

目贵明,耳贵聪。以天下之目视,则无不见;以天下之耳听,则无不闻;以天下之智虑,则无不知。

《邓子·转辞篇》

失术不立。

《左传·成公八年》

察己则可以知人，察今则可以知古。

《吕氏春秋·察今》

利虽倍于今，而不便于后，弗为也。

《吕氏春秋·长利》

失道而后失德，失德而后失仁，失仁而后失义，失义而后失礼。

韩非:《韩非子·解老》

射不善而欲教人，人不学也；行不修欲谈人，人不听也。

《尸子·恕》

不见诌以取悦，不曲言以负心。

葛洪:《抱扑子·汉过》

人必其自敬也，然后人敬诸。

扬雄:《法言·君子》

行生于己，名生于人。

李延寿:《北史·甄琛传》

夫圣人之屈者以求伸也，枉者以求在也。故虽出邪辟之道，行幽昧之涂，将欲以直大道，成大功，犹出林之中，不得直道；拯溺之人，不得不濡足也。

刘安:《淮南子·秦族训》

德胜才,谓之君子;才胜德,谓之小人。

司马光:《资治通鉴·唐纪》

欲人勿知,莫若勿为。

房玄龄:《晋书·刘曜载记》

以人之长补其短,以人之厚补其薄。

刘向:《说苑》卷一

卑贱贫穷,非士之耻也。

刘向:《说苑·立节》

有声之声不过百里,无声之声延及四海。

韩婴:《韩诗外传》

失道莫大于无为,行莫大于谨敬。

陆贾:《新语·无为》

从来做大事业,须从戒慎恐惧中做出,试观尧、舜、孔、孟,皆不自足,兢兢业业到老,是所以为尧、舜、孔、孟也。

张伯行:《困学录集粹》卷一

人或毁己,当退而求之于身;若己有可毁之行,则彼言当矣;若己无可毁之行,则彼言妄矣;当则无怨于彼,妄则无害于身。

梁孝帝:《金楼子·戒子篇》

建大功于天下者,必先修之于闺门之内;垂大名于万世者,必先行之于纤微之事。

陆贾:《新语·慎微》

尊于位而无德者黜,富于财而无义者刑。

陆贾:《新语·至德》

多欲亏义,少比害智。

刘安:《淮南子·缪称训》

自信者,不可以诽誉迁也;知足者,不可以势利诱也。

刘安:《淮南子·诠言训》

贵而不骄,胜而不悖,贤而能下,刚而能忍。

诸葛亮:《诸葛亮集·将材》

勿以恶小而为之,勿以善小而不为。惟贤惟德,能服于人。

刘备:见《三国志·蜀书·先主传第二》

性情的修养,不是为了别人,而是为自己增强生活的能力。

池田大作

不可窃人之美,以为己力。

颜之推:《颜氏家训·慕贤》

放情者危,节欲者安。

桓范:《政要论·节欲》

以患难时心居安乐,以贫贱时心居富贵,以屈局时心居广大,则无往而不泰然。以渊谷视康庄,以疾病视强健,以不测视无事,则无往而不安稳。

吕坤:《呻吟语》

君子之于人也,苟有善焉,无所不取。

欧阳修:《新五代史·宦者传论》

修身如修屋,一处不密,一处便漏。

魏象枢:《寒松堂集·庸言》

上当求进于己,而不可求进于人也。

张养浩:《牧民忠告》卷下

宁公而贫,不私而富;宁让而损己,不觉而损人。

张养浩:《牧民忠告》

气忌盛,心忌满,才忌露。

吕坤:《呻吟语·人品》

与人共事,当公而不私。苟事之成,不必功之出自我也;不幸而败,不必咎之归诸人也。

吕坤:《呻吟语选》卷上

身要严重,意要安定,色要温雅,气要和平,语要简切,心要慈祥,志要果毅,机要缜密。

吕坤:《呻吟语·补遗》

人不自爱,则无所不为;过于自爱,则一无所为。

吕坤:《呻吟语选·补遗》

奋始怠终,修业之贼也;缓前急后,应事之贼也;躁心浮气,畜德之贼也;疾言厉色。处众之贼也。

吕坤:《呻吟语·修身》

倚立而思远,不如速行之必至。

马总:《意林·中论》

日月欲明,浮云翳之;河水欲清,沙土秽之;丛兰欲茂,秋风败之;人性欲平,嗜欲害之。

马总:《意林·文子十二卷》

知足者常乐,贪婪者常悲。对知足者来说,纵使贫困交加也有乐趣;对贪婪者来说,纵使锦衣玉食也生烦恼。

无名氏:《明心宝鉴》

为人如构室,先须要基坚固,始可承载。忠诚,敦厚人之根基也。

魏裔介:《琼琚佩语·人品》

为惠而望报,不如勿步,此结怨之道也。

冯班:《钝吟杂录·家戒》

学贵要,虑贵远,信贵笃,行贵果。

《逊志斋集》

是非终日有,无听自然无。

佚名:《张协状元》

修身处世,一诚之外更无余事。

《朱舜水集》

苟非吾之所有,虽一毫而莫取。

苏轼:《赤壁赋》

饥害所迫,虽志士未免求人,但求之有道。

徐学谟:《归有园尘谈》

心蠖之屈,以求伸也;龙蛇之蛰,以存身也。

陆九渊:《陆九渊全集·常胜之道曰柔论》

贫莫贫于不闻道,贱莫贱于不知耻。

李尧汇:《药言剩稿》

居必择地,行必依贤。

皮日休:《皮日休文集·足箴》

人以品为重,若存一点卑污黩货之心,便非顶天立地汉。

《史典·愿体集》

有其德,无其位,君子安之;有其位,无其功,君子耻之。

胡宏:《胡子知言·好恶》

能在精神上尽量摆脱太多的物欲和得失心,就可以体会到什么是"洒脱"和"飘逸"。

罗兰:《罗兰小语》

轻听发言,安知非人之谮诉?当忍耐三思;因事相争,焉知非我之不是?须平心暗想。

朱柏庐:《朱子治家格言》

胸襟广大,宜从"平""淡"二字用功,凡人我之际须看得平,功名之际须看得淡,庶几胸怀日阔。

曾国藩:《曾国藩家书》

钓名沽誉,眩世炫欲,由君子观之,皆所不取也。

方孝孺:《豫让论》

不以一人之毁誉为喜怒,不以一言之顺逆为行止。

张廷玉:《明史·邓继曾列传》

耳中常闻逆之言,心中常有拂心之事,才是进德修行之石。

洪应明:《菜根谭》

处难处之事,可以长识;调难调之人,可以炼性。

徐祯稷:《耻言》卷二

芝兰之在谷,不闻而自香;腥膻之在市,不闻而自臭。

彭汝让:《木几冗谈》

有德之士,如夏日之冰、冬日之炉,不求亲人而人自亲之。

庄元臣:《叔苴子·外编》卷二

海纳百川,有容乃大;壁立千丈,无欲则刚。

林则徐

难得糊涂,吃亏是福。

郑板桥

成德每在穷困,败身多因得志。

王士祯:《池北偶谈》

知足天地宽,贪得宇宙隘。

曾国藩:《曾文正公家训》

贫贱是苦事,能善处者自乐;富贵是乐境,不善处者更苦。

> 金缨:《格言联璧·持躬类》

临事须替别人想,论人先将自己想。

> 金缨:《格言联璧·接物》

聪明人修检于自身,愚蠢者才欺惑于大众。

> 培根

有让古人是谓有志,不让今人是谓无量。

> 金缨:《格言联璧》

终日说善言,不如做了一件;终身行善事,必防错了一桩。

> 金缨:《格言联璧》

世间好看事尽有,好听话极多,惟求一真字难得。

> 申居郧:《西岩赘语》

内睦者家道昌,外睦者人事济。

> 林逋:《省心录》

好胜者必争,贪勇者必辱。

> 林逋:《省心录》

内不欺己,外不欺人。

> 弘一大师:《格言别录》

投机取巧或能胜利于一时,终难立足于世界。

> 鲁迅:《雅风月谈·后记》

处处抢先,事事占便宜的人多半要付出更高的代价。

罗兰:《罗兰小语·处世小语》

对一时的烦恼,最好不要太认真。一方面,你要相信,人人都是有烦恼。另一方面,你要相信,你绝不会永远这样烦恼下去。过一过,你总会找到一些值得让你为它快快乐乐的活下去的东西。

罗兰:《罗兰小语·柔韧》

天下未有不恒而能成,不信而能得人信者。

恽代英:《来鸿去燕录·致啸虎书》

有一种毫不做作的良好教养,每个人都能感觉到它,但只有那些天性善良的人们才实践着它。

切斯特菲尔德

你在一生中的任何时刻,都应保持乐观的精神状态。舍弃了乐观就是舍弃了你自己,排斥了乐观便是让别人来主宰你的感情。

雷音:《错误与人生》

腹中天地阔,常有渡人船。

朱德

扩大自己的欲望,无异于将悬崖下的深谷挖得更深,事情就是如此。

巴尔扎克:《两个新嫁娘》

行动不受感情支配的人才会成为真正的伟人。

本·迪斯雷里:《科宁斯比》

如果我命中注定该爬行,那我爬也高兴;如果我命注定该飞翔,那我飞也称心;既然我不用爬也不用飞,那我永远感到幸福。

西·史密斯:《席间闲谈》

小人在不幸中卑躬屈膝,伟人在不幸中挺身而起。

华盛顿·欧文:《见闻札记·波凯诺克特的腓力》

谁不知足,谁就不会幸福,即使他是世界的主宰也不例外。

伊壁鸠鲁篇《残喘集》

医学治好身体的毛病,哲学解除灵魂的烦恼。

德谟克利特:《著作残篇》

一个人的个性应该像岩石一样坚固,因为所有的东西都建筑在它上面。

屠格涅夫:《前夜》

杜誉以防轻喜;杜谗以防轻信;戒暴以防轻怒;戒满以防轻足。

薛应旗:《薛方山纪述》

对一个正直的人来说,流言是起不了作用的。

菲·纳谢德金:《感情的考验》

常常有这样的事情:当一个人不为人们所知时,名声反倒不错;而一旦为人们所注目,就会成为众矢之的。

托马斯:《效法基督》

声名像一颗陨星,除了几个卓越的和不可战胜的名字之外,闪耀一下,就永远消逝了。

塞缪尔·约翰逊:《论未来》

顺利时要谨慎,不顺利时要忍耐。

约翰·雷:《英国谚语大全》

品格如同树林,名声如同树荫。我们常常考虑的是树荫,但却不知树木才是根本。

格罗斯:《林肯自述》

过于卓越的性格往往难以容身于社会生活之中,因此我们不带金块而带小额款项去市场。

尚福尔:《格言与反省》

若失财产,一无所失;若失健康,略有所失;若失品格,一切皆失!

歌德:《格言诗》

美德好比珍贵的香料,只有燃着或碾碎时才会发出最浓郁的芳香。

培根:《培根论说文集》

对一个人来说,真正重要的不是他的背景、他的肤色、他的种族或是他的宗教信仰,而是他的性格。

尼克松:《领袖们》

好人如果受到恶人攻击,不必沮丧,也不必在意,石头虽能撞碎一只金怀,金杯仍有价值,石头仍是低微。

萨迪:《蔷薇园》

无论学者、博士、圣徒，也无论至明雄辩的人物，只要他一旦羡慕浮世的荣华，便是跌在蜜里的苍蝇，永难自拔。

萨迪:《蔷薇园》

最大的仇敌莫过于自己的情欲。

萨迪:《蔷薇园》

当你背向太阳的时候，你只看到自己的影子。

纪伯伦:《沙与沫》

一个人做了这样或那样一件合乎伦理的事，还不能就说他是有德的，只有当这种方式成为他性格中的固定要素时，他才可以说是有德的。

黑格尔:《法哲学原理》

如果一个人获得了幸福、健康、才能、财富、快乐、权势等一切，但放弃了对真、善、美的追求，那么他就会堕落成为动物。

今道友信:《关于美》

仅仅一个人独善其身，那实在是一种浪费。上天生下我们，是要把我们当作火炬，不是照亮自己，而是普照世界，因为我们的德行倘不能推及他人，那就等于没有一样。

沙士比亚:《量罪记》

贪心的人想把什么都弄到手，结果什么都失掉了。

克雷洛夫:《贪心的人和母鸡》

出头露面的人是幸福的，知道世人一定在瞧着他必须完成的事业，他从头到底干得挺有劲儿。然而这样的人更值得尊敬，他默默无闻地躲在暗地里，在漫长的辛苦的日子里无报酬地劳动，得不到光荣也得不到表扬；只有一种思想鼓舞着他的勤劳：他的工作对大众是有益的。

克雷洛夫：《克雷洛夫寓言》

我们不得不饮食、睡眠、游惰、恋爱，也就是说，我们不得不接触生活中最甜蜜的事情；不过我们必须不屈服于这些事物。

约里奥·居里：见《居里夫人传》

人在缺乏活力或穷奢极欲时，思想是保守的；人在酒足饭饱之后，思想也是保守的。

爱默生：《论英格兰改革者》

人生在世，每人脖子里都扛着一个褡子，前面装的是别人的过错和恶事，所以经常摆在自己眼前，看得清清楚楚；背后装的是自己的过错和恶事，所以，从来看不见，也不理会，除去少数得天独厚的人。

拉伯雷：《巨人传》

能够遗传后世的声名就好像橡树，长得既慢，活得也就火；延续不长的名声好比一年生的植物，时期到了便会凋零；而错误的名声却似菌类，一夜里长满了四野，很快便又枯萎。

叔本华：《人中的智慧》

人应该只掌握自己的命运，而不应该去主宰他人。

高尔基：《蔚蓝的生活》

律己·自省

在上位,不凌下;在下位,不援上。

《礼记·中庸》

见贤思齐焉,见不贤而内自省也。

孔丘:《论语·里仁篇》

正己而不求于人,则无怨。上不怨天,下不尤人。

《礼记·中庸》

莫见乎隐,莫显乎微。故君子慎其独也。

《礼记·中庸》

非礼勿视,非礼勿听,非礼勿信,非礼勿动。

孔丘:《论语·颜渊篇》

修己而不责人。

《左传·隐公二年》

至乐无乐,至誉无誉。

《吕氏春秋·种知》

知人者智,自知者明。

《老子》

自古以来，身居富贵，能知足者甚少。

> 张昭远等:《旧唐书·李靖传》

悔悟于后，不若省察于前。

> 胡居仁:《居仁录·学问》

所谓愚不肖，只是自是;所谓贤人君子，只是不自是。

> 《陈确集·别集·闻过》

愚人畏病常病，智士防危不危。

> 刘基:《诚意伯文集》卷八

曾子曰:"吾日三省吾身——为人谋而不忠乎? 与朋友交而不信乎? 传不习乎? "

> 孔丘:《论语·学而篇》

责己须要备，人有片善，皆当取之。

> 《古今图书集成·学行典》

内不愧心，外不负俗，交不为利，仕不谋禄，鉴乎古今，涤清荡欲，何忧于人间之委曲?

> 嵇康:《卜疑集》

以铜为镜，可以正衣冠;以古为镜，可以知兴替;以人为镜，可以明得失。

> 李世民:《隋唐嘉话》

人苦不自知其过。

> 《唐太宗纪》

君子独处,守正不挠。

班固:《汉书·刘向传》

人虽至愚,责人则明;虽有聪明,恕己则昏。

《小学集注·广敬身》

见人而不自见者谓之蒙,闻人而不自闻者谓之聩。

徐干:《中论·修本》

动必三省,言必再思。

《白居易集·策林》

慎而思之,勤而行之。

白居易:《策林》

不自重者取辱,不自畏者招祸,不自满者受益,不自是者博闻。

林逋:《省心录》

人之有过失,犹身之有疾病。攻之以药石,诲之以廉耻,虽过失不害为贤者,虽疾病不失为全人。

林逋:《省心录》

行坦途者肆而忽,故疾走则蹶;行险途者畏而慎,故徐步则不跌。

林逋:《省心录》

以责人之心责己,恕己之心恕人,不患不到圣贤地位。

朱熹:《范纯仁语》

自以为我之所见，天下莫能及，人之议论与我合则善之，与我不合则恶之，如此，方正之士何由进，谄庾之士何由远？

司马光：《司马温公集·与王介甫书》

喜来时一点检，怒来时一点检，急惰时一点检，放肆时一点检。

吕坤：《呻吟语·省察》

攻我之过者，未必皆无过之人也；苟求无过人攻我，则终身不得一闻过矣。

吕坤：《呻吟语·补遗》

专责己治，兼可或人之善；专责人者，适以长己之恶。

李惺：《西沤外集·约言剩稿》

善观人者观己，善观己者观心。

祝允明：《读书笔记》

自爱者必慎。

申居郧：《西岩赘语》

贤者视已，似己非而人是；愚者视己，必己是而人非。

钱咏：《履园丛话·示子》

糊涂人难得聪明，聪明人难得糊涂。

钱咏：《履园丛话·难得糊涂》

假如幸福必须牺牲别人，就先牺牲自己吧。

高云览：《小城春秋》

自尊不是轻人，自信不是自满，独立不是弧立。

徐特立:《我们怎样学习》

要留心，即使当你独自一人时，也不要说坏话或做坏事，而要学得在你自己面前比在别人面前更知耻。

德谟克利特:《西方伦理学名著选辑》上卷

粗野的人经常笑但决不微笑，有教养的人经常微笑但决不大笑。

切斯特菲尔德:《给儿子的信》

我在日常生活中严守着一个美好的准则:"贵在自知之明"。我是素以此来鞭策自己的。

安格尔:《安格尔论艺术》

天性好比种子，它既能长成香花，也可能长成毒草。人们应当时时检查，以培养前者而拔除后者。

培根:《随笔集》

请诚心地指出我的一切过错，我最不能忍受的就是吹捧。

萧伯纳:《美国佬的另一个岛》

如果你想受人尊敬，那么首要的一点就是你得尊敬你自己；只有这样，只有自我尊敬，你才能赢得别人的尊敬。

陀思妥耶夫斯基:《被欺凌与被侮辱的》

智者宁可防病于未然，不可治病于已发；宁可勉力克服痛苦，免得为了痛苦而追求慰藉。

莫尔:《乌托邦》

人们对自身的过失,常常看不分明。

莎士比亚:《鲁克丽丝受辱记》

能把握住自己的人很快就能控制别人。

托·富勒:《箴言集》

缺乏自知之明是最愚昧的。

卢梭:《爱弥儿》

居安思危的人才是最安全的。

普卜利利乌斯·绪儒斯:《警句》

世人们很少了解自己。对一个人来说,了解自己是异常困难的。

西塞罗:《论演说术》

知道在适当的时候自动管制自己的人就是聪明人。

雨果:《悲惨世界》

如果一个人着手去研究所有的法律,他就没有剩余时间去触犯法律。

歌德:《歌德的格言和感想集》

认识自己的可悲是可悲的。然而认识到自己之所以可悲,则是伟大的。

帕斯卡尔:《思想录》

慎言·多思

君子欲纳于言而敏于行。

孔丘：《论语·里仁篇》

言发于迩，不可止于远也；行存于身，不可掩于众也。

孔丘：《晏子春秋·不合经术者》

言人之恶，非所以美已；言人之枉，非所以正已。

《孔子家语·颜问》

言必先信，行必中正。

《礼记·儒行》

知者不言，言者不知。

老聃：《道德经》

言必可行也，然后言之；行必可言也，然后行之。

贾谊：《新书·大政上》

吐言若覆水，摇舌不可追。

傅玄：《墙上难为趋》

志不强者智不达，言不信者行不果。

墨翟：《墨子·修身》

言，无务为多，而务为智；无务为文，而务为察。

> 墨翟：《墨子·修身》

言出患人，语失身亡。身亡不可复存，言非不可复追。

> 刘昼：《刘子·慎言》

言善毋及身，言恶毋及人。

> 刘向：《说苑·说丛》

言而信，未若不言而信；行而谨，未若不行而谨。

> 王通：《中说·周公篇》

言而无益，不若勿言；为而无益，不若勿为。

> 司马光：《司马温公集·无益》

言语最要谨慎，交游最要审择。多说一句，有如少说一句；多识一人，不如少识一人。若是贤友，愈多愈好。只恐人才难得，知人实难耳，语云："要作好人，须导好友。引醇若酸，那得甜酒。"又云："人生丧家亡身，言语占了八分。"皆格言也。

> 高攀龙：《高子遗书》

恶言不出于口，邪行不及于己。

> 桓宽：《盐铁论·毁学》

切忌浮夸铺张。与其说得过分，不如说得不全。

> 列夫·托尔斯泰：《给克拉斯诺夫的信》

说话谨慎胜于滔滔雄辩。

> 培根：《随笔集·论演说》

负远略者,遏浮言。

《薛云山纪述·上篇》

言轻则招忧,行轻则招辜,貌轻则招辱,好轻则招淫。

杨雄:《法言·修身篇》

以言伤人者,利于刀斧;以术害人者,毒于虎狼。言不可不慎,术不可不慎也。

林逋:《省心录》

誉人不增其美,则闻者不快其意;毁人不益其恶,则听者不惬于心。

王充:《论衡·艺增》

言语在口,譬含锋刃,不可动也。动锋刃也者,必伤喉舌,言失之害,非唯锋刃,其所伤者,不惟喉舌。

刘昼:《刘子·慎言》

有理而无益于事者,君子弗言;有能而无益于事者,君子弗为。

《尹文子·大道上》

我们应该注意自己不用言语去伤害别的同志,但是,当别人用言语来伤害自己的时候,也应该受得起。

刘少奇:《论共产党员的修养》

思而后行,以免做出愚事。因为草率的动作和言语,均是卑劣的特征。

毕达哥拉斯:《西方伦理学名著选辑》

日出万言，必有一伤。

黄少配:《大骗》

言必有防，行必有检。

徐干:《中论》

有所不言，言必当；有所不为，为必成。

吕坤:《呻吟语·人品》

乘兴说话，最难检点。

申居郧:《西岩赘语》

话虽来到口边，三思更好。

梁章钜:《浪迹丛谈·巧对补录》

言人过于君子之前何益，言人过于小人之前有祸。

梁章钜:《退庵随笔·交际》

刀疮易没，恶语难销。

江敩英:《慎言集训·戒恶言》

行必先人，言必后人。

王聘珍:《大戴礼记解诂·曾子立事》

聪明人！要提防的是：忧郁时的文字，愉快时的言语。

冰心:《冰心文集·繁星》

信口开河的人总有一天会为自己失口而懊悔不迭。

托·富勒:《箴言集》

无论在什么情况下，都不要信口开河，有话一定要想好后再说。

托·卡莱尔:《随笔集·传记文学》

我将舌头牢牢禁锢在双唇之间，因为言多必然有失。

盖伊:《寓言诗·第·引言》

用语言复仇微不足道，但语言却可能招致更大的复仇。

本·富兰克林:《格言历书》

莫让你的舌头抢先于你的思考。

德漠克利特:《著作残篇》

说出口的话是银的，没有出口的话是金的。

马明·西比列亚克:《普里瓦洛夫的百万家私》

除非你的话能给人安慰，否则最好保持沉默；宁可因为说真话负罪，也不要说假话开脱。

萨迪:《蔷薇园》

听其言而观其行是取人之道，师其言而不问其行是取善之方。

金缨:《格言联璧》

不要信口只说空话，迟缓不会有损真理。

萨迪

一言而适，可能却敌；一言而得，可以保国。

刘向

养心·慎行

君子坦荡荡,小人长戚戚。

孔丘:《论语·述而篇》

小不忍,则乱大谋。

孔丘:《论语·卫灵公篇》

凡人之生也必以其欢,忧则失纪,怒则失端,忧悲喜怒道乃无处。爱欲静之,通乱正之,勿引勿摧,福将自归。

管仲:《管子·内业第四十九》

必有忍,其乃有济;有容,德乃大。

《尚书·君陈》

欲信人者必先自信,欲知人者必先自知。

《吕氏春秋·先己》

人无远虑,必有近忧。

孔丘:《论语·卫灵公篇》

人之情欲不可纵,当用逆之之法以制之,其道只有一忍字;人之情欲不可指,当用顺之之法以调之,其道只在一恕字。令人皆恕以适已,而忍以制人,毋乃不可乎?

洪应明:《菜根谭·应酬》

谤来不戚，誉至不喜。

葛洪：《抱朴子·塞难》

居心不净，动辄疑人，人自无心，我徒烦扰。

申涵光：《荆园小语》

独立于万物之上，乃为有志；能屈千万人之下，乃为有养。

周亮工：《赖古堂尺牍》

行路难，不在水，不在山，只在人心反覆间。

白居易：《太行路》

二十年治一"怒"字，尚未消磨得尽，以是知克己最难。

王豫：《蕉窗口记》

物必先腐也，而后虫生之；人必先疑也，而后谗入之。

苏轼：《范增论》

身安不如心安，心宽强如屋宽。

石成金：《传家宝》

同是肚皮，饱者不知饥者苦；一般面目，得时休笑失时人。

朱彝尊：《对联》

人咸知饰其面，而莫知修其心。

蔡邕：《女诫》

大着肚皮容物，立定脚跟做人。

金缨：《格言联璧·持躬类》

人之心胸，多欲则窄，寡欲则宽。

金缨：《格言联璧·存养》

言吾善者，不足为喜；道吾恶者，不足为怒。

冯梦龙：《拗相公饮恨半山堂》

莫妒他人，妒长，则己终是短；莫护己短，护短，则己终不长。

弘一大师：《格言别承》

一枝动则万叶不宁，一心散则万虑皆妄。

申居郧：《西岩赘语》

己之温，思人之寒；己之安，思人之难。

《逊志斋集·衾》

怒多横言，喜多枉言。

吕坤：《续小儿语》

无欲则静，静则明。

周敦颐：《通书》

血气之怒不可有，义理之怒不可无。

朱熹：《朱子语类》

人心之病，莫甚于一私。

杨万里：《答陈国材书》

人之制情，当如堤坊之治水，常恐其漏坏之易。

林逋：《省心录》

耳中常闻逆耳之言，心中常有拂心之事，才是进德修行的砥石。若言言悦耳，事事快心，便把此生埋在鸩毒中矣。

洪应明：《菜根谭》

欲除烦恼须无我，历经艰难好作人。

冯玉祥

有一分力，尽一分力，不必一时特别愤激，事后却又悠悠然。

鲁迅：《书信》

自觉心是进步之母，自贱心是堕落之源，故自觉心不可无，自贱心不可有。

邹韬奋：《论人的精神》

君子忍人所不能忍，容人所不能容，处人所不能处。

邓拓：《燕山夜话·涵养》

大事难事看担当，逆境顺境看襟度，临喜临怒看涵养，群行群止看识见。

吕坤：《呻吟语·存心》

一个人最怕不老实，青年人最可贵的是老实作风。"老实"就是不自欺欺人，做到不欺骗人家容易，不欺骗自己最难。"老实作风"就是脚踏实地，不占便宜。世界上没有便宜的事，谁想占便宜谁就会吃亏。

徐特立：《徐特立教育文集》

任何人都应该有自尊心、自信心、独立性，不然就是奴才。但自尊不是轻人，自信不是自满，独立不是孤立。

徐特立：《徐特立教育文集》

嫉妒者所受的痛苦比任何人遭受的痛苦更大,他自已的不幸和别人的幸福都会使他痛苦万分。

单辉:《你的青春在哪里》

嫉妒别人的才能,也许正好说明自己的无能。

黄药眠:《黄药眠散文集》

一个伟大的人有两颗心:一颗心流血,一颗心宽容。

纪伯伦:《沙与沫》

忍耐是对付所有一切困难的最好药物。

·普拉图斯:《著作残篇》

抑制自己免于愤怒最好的办法是:当别人愤怒时,你就冷静观察那是怎样的一副德性。

塞涅卡:《谈愤怒》

怒时光景难看,一发遂不可制,既过思之,殊亦不必;故制怒者当涵养于未怒之先。

申涵光:《荆园小语》

与其我去妒忌仇敌,毋宁让仇敌妒忌我。

普劳图斯:《好斗》

无能者的唯一安慰就是恼火。

车尔尼雪夫斯基:《序幕》

只凭感情说话,难免失实。

米德尔顿:《陈旧的法律》

愤怒使别人遭殃，但受害最大的却是自己。

列夫·托尔斯泰:《阅读之钥》

自信是生命的力量。如果皱纹迟早要出现在额头上，那么要设法，千万别让它印在心坎里。

列夫·托尔斯泰:《书信集》

愤怒乃片刻之疯狂，所以你应控制感情，否则感情便控制你。

大仲马:《三个火枪手》

嫉妒都是与爱情一同出生，却不一定与爱情一同死亡。

拉罗什富科:《箴言录》

谁不能控制邪欲，谁就把自己摆在畜牲行列。

达·芬奇:《笔记》

任何人都会发怒——那是容易的事;但是对适当的人，以适当的程度，在适当的时候，为适当的目的，并且以适当的方式发怒——那不是人人都能做到的，而且不是易事。

亚里士多德:《政治学》

藏在自己心中的敌人是最可怕的。

普卜利利乌斯·绪儒斯:《警句》

生气，是拿别人的错误惩罚自己。

康德:《康德传》

比受人欺骗更可悲的是自己被自己欺骗。

吕党特:《婆罗门的睿智》

忧虑像一把摇椅,它可以使你有事做,但却不能使你前进一步。

席勒:《强盗》

谁要是把"忍耐和自制"这两个词牢记在心间,并以此作为指导和准则,谁就一生无灾无祸,过着十分安宁的生活。

爱比克泰德:见格利乌斯:《雅典之夜》

在嫉妒心重的人看来,没有比他人的不幸更能令他快乐,亦没有他人的幸福,更能令他不安。

斯宾诺莎:《伦理学》

对应发怒的事物发怒,对应发怒的人发怒,当该发怒时发怒,只要人们这样做,就该受到赞扬。这种人必是好脾气的人,因此,好脾气是要称赞的。

亚里士多德:《伦理学》

停停、等等是治愈愤怒的最好方法。应立即从愤怒那里找到这种特许,不是要得到它的赦免,这样愤怒就会有某种程度的减轻。愤怒的最初发作是沉重的,但只要等上一段时间,它又恢复理智的作用。不要试图一下子把它摧毁,一点一点地冲击它,它才会被彻底克服。

塞内卡:《论愤怒》

一个人盛怒之下,那条舌头就像冲决了堤岸的洪水。

塞万提斯:《堂·吉诃德》

不能忍耐的人必将一事无成。

马可·奥勒利乌斯:《沉思集》

不要让嫉妒的蛇钻进你的心里，这条蛇会腐蚀你的头脑，毁坏你的心灵的。

亚米契斯:《爱的教育》

如果在一个想让你哭的人面前哭,那就是失败,越是在这种时候,越是要笑,顽强地度过人生。

三浦绫子:《冰点》

一个人如果内心不平静,那他到哪里也得不到安宁。

拉罗什富科:《已废的格言集》

有两样东西是必不可少的:良心和美名。换言之,为了你的幸福,你须有良心;为了你的友邻,你须有美名。

乔叟:《坎特伯雷故事集》

嫉妒是一种消极的情绪,它驱使你离开自我,阻止你达到高尚、完美的自我。确实,嫉妒能使人变得卑下、猥琐,甚至不再模仿他人。你会因此而怨天尤人,失去理智,更不会懂得公正待人。你怀着仇视的心理和忿恨的眼光去估量他人的成功,而你自己也在这种危险的情绪中受到极大的心理伤害。

马克斯韦尔·莫尔滋

脾气暴躁是人类较为卑劣的天性之一,人要是发脾气就等于在人类进步的阶梯上倒退了一步。

达尔文:见《达尔文》

高尚的人无论走向何处,身边总有一个坚强的捍卫者——那就是,良心。

司各特:《中洛辛郡的心脏》

愤怒只证实一点——愚昧懦怯而已！

斯威夫特：《格列佛游记》

谁要是能够把悲哀一笑置之，悲哀也会减弱它的咬人的力量。

莎士比亚：《理查二世》

当一个人是一个真正的人的时候，他应当在大言不惭和矫揉造作之间保持等距离。既不夸夸其谈，也不扭捏取宠。

雨果：《悲惨世界》

世界上最宽阔的东西是海洋，比海洋更宽阔的是天空，比天空更宽阔的是人的胸怀。

雨果：《悲惨世界》

洁白的良心是一个温柔的枕头。

安徒生：《童话集》

忍耐超过一定限度就不再是美德。

伯克：《评〈国家之现状〉一书》

要记住别人可能恨你，但别人恨你不管用，除非你也恨他们，而这样你便毁灭了你自己。

尼克松：《尼克松回忆录》

我们要以信心充实自己，就像我们每天以食物充实自己一样。

马尔兹：《创造人生》

无论是谁,假如丧失忍耐,也就将丧失灵魂。人千万不可像蜜蜂那样,"把整个生命拼在对敌手的一螫中"。

培根:《培根论人生》

　　每一欲望都是我们胸中的毒蛇,当它冻僵的时候,它是无害的;但给它一定温度,它会获得力量,干出坏事。

约翰逊:《致丁·鲍斯威尔的信》

　　把脸一直向着阳光,这样就不会见到阴影。

海伦·凯勒:《海伦·凯勒自传》

　　蠢夫只能引起我们的鄙夷,而不能使我们嫉妒,因为,嫉妒是一种赞扬。

约·盖伊:《猎狗与猎师》

　　好犯疑心病的人是一种慢性自杀。

爱默生:《论文集第 1 辑·论自助》

　　你发怒一分钟,便失去了六十秒钟的幸福。

爱默生:《人生论》

　　蓄谋报复就好比老在揭自己的伤疤,不然,伤口早就愈合了。

培根:《随笑集》

　　一个念念不忘旧仇的人,他的伤口将永远难以愈合,尽管那本来是可以痊愈的。

培根:《培根论人生》

　　人心的波动是无限的。一个人也可以像一只船一样触礁沉没。良心就是锚。最可怕的是,良心也像锚一样,可以断掉锚链沉入海底。

雨果:《笑面人》

不管一切如何,你仍然要平静和愉快。生活就是这样,我们也就必须这样对待生活,要勇敢、无畏、含着笑容地——不管一切如何。

罗莎·卢森堡:《狱中书简》

不能生气的人是笨蛋,而不去生气的人才是聪明人。

卡耐基:《美好的人生,快乐的人生》

改　过

有则改之,无则加勉。

朱熹:《论语·学而篇》

注过而不改,是谓过矣。

孔丘:《论语·卫灵公篇》

圣人之于善也,无小而不举;其于过也,无微而不改。

刘安:《淮南子·主术训》

常看得自家未必是,他人未必非,便有长进;再看得他人皆有可取,吾身只是过多,更有长进。

吕坤:《呻吟语选》卷上

过而改之，是犹不过也。

刘向：《说苑·君道》

我自讳过，安得有直友；我自喜谀，安得无佞人。

申居郧：《西岩赘语》

人生至愚是恶闻己过，人生至恶是善谈人过。

申居郧：《西岩赘语》

喜闻人过不如喜闻己过，乐道己善何如乐道人善。

金缨：《格言联璧》

攻我之过者，未必皆无过之人也。苟求无过之人功我，则终身不得一闻过矣。

吕坤：《呻吟语选》卷下

人之有过失，犹身之有疾病，攻之以药石，海之以廉耻，虽过失不害为贤者，虽疾病不失为全人。

林逋：《省心录》

纵然积恶终身，一悔便是回头；莫谓功成九仞，一骄便可坠地。

申涵光：《荆园小语》

改过不吝，从善如流。

苏轼：《上皇帝书》

改过之人，如天气新晴一般。

陆世仪：《思辨录》

知过非难,改过为难;言善非难,行善为难。

　　　　　　　　司马光:《资治通鉴·唐纪》

闻过则喜,知过不讳,改过不惮。

　　　　　　　　陆九渊:《陆九渊集·与傅全美》

有钱难买回头看,头若回看后悔无。

　　　　　　　　金埴:《不下带编》卷四

过者,大贤所不免,然不害其卒为大贤者,为其能改也。

　　　　　　　　陈宏谋:《五种遗规》

良心炯炯,有过自知;知而不改,谓之自欺。

　　　　　　　　《陈确集·文集·坐箴》

但攻吾过,毋议人非。

　　　　　　　　《陈确集·别集·不乱说》

见人之过,得己之过;闻人之过,得己之过。

　　　　　　　　杨万里:《庸言》

心过难改。能改心过,则无过矣。

　　　　　　　　胡宏:《胡子知言·事物》

良药苦口,惟疾者能甘之;忠言逆耳,惟达者能受之。

　　　　　　　　陈寿:《三国志·吴书·孙奋》

见善必从,有过必改。

　　　　　　　　恽代英:《恽代英文集·怎样创造少年中国》

坦率地承认错误,能够解除诽谤者的武装。

> 托·富勒:《箴言集》

只要我们还年轻,犯错误是完全正常的,但我们不能把错误继续带到老年。

> 歌德:《歌德的格言和感想集》

任何人都可能犯错误,但只有傻瓜才执迷不悟。

> 西塞罗:《反腓力辞》

犯错误是无可非议的,只要能及时察觉并纠正就好。谨小慎微的科学家既犯不了错误,也不会有所发现。

> 贝弗里奇:《科学研究的艺术》

好胜而耻过,必甘佞辞,忌直言,则谄谀者进,而忠实之语不闻矣。

> 欧阳修:《新唐书·陆贽列传》

立志篇

 ## 志向·进取

居下而无忧者，则思不远；处身而常逸者，则志不广。

《孔子家语·在厄》

三军可夺帅也，匹夫不可夺志也。

孔丘:《论语·子罕篇》

怨天者无志。

荀况:《荀子·荣辱篇》

人若无志，与禽兽同类。

孟轲:《孟子》

非才无以济其志,非志无以辅其才。

　　　　　　　　　　　　朱熹:《朱子文集·通鉴室记》

　　人之所以立德者三:一曰贞,二曰达,三曰志。贞以为质,达以行之,志以成之。

　　　　　　　　　　　　荀悦:《申鉴·杂言下》

　　为世忧乐者,君子之志也;不为世忧乐者,小人之志也。

　　　　　　　　　　　　荀悦:《申鉴·杂言上》

　　书不记,熟读可记;义不精,细思可精;惟有志不立,真是无著力处。

　　　　　　　　　　　　朱熹:《性理精义》

　　学者须是立志。今日所以悠悠者,只是把学问不曾做一件事看,遇事则且胡乱恁地打过了,此只是志不立。

　　　　　　　　　　　　张伯行辑:《朱子语类辑略》

　　患名之不立,不患年之不长。

　　　　　　　　　　　　陈寿:《三国志·魏志·贾逵传》

　　夫有其志必成其事。

　　　　　　　　　　　　曹操:《褒扬泰山太守吕虔令》

　　人无善志,虽勇必伤。

　　　　　　　　　　　　刘安:《淮南子·主术训》

　　人唯患无志,有志无有不成者。

　　　　　　　　　　　　陆九渊:《语录》

志于道义，则事业不足道；志于事业，则富贵不足道；志于富贵，则其人不足道。

俞文豹：《吹剑录·外集》

不大其栋，不能任重。

刘安：《淮南子·泰族训》

学不博则不能守约，志不笃则不能力行。

程颢、程颐：《二程集·罗氏本拾遗》

器大者声必宏，志高者意必远。

范开：《稼轩词序》

宁为有闻而死，不为无闻而生。

柳宗元：《上扬州李吉甫相公献所著文启》

心不清则无以见通，志不确则无以立功。

林逋：《省心录》

古之立大事者，不惟有超世之才，亦必有坚忍不拔之志。

苏轼：《晁错论》

得其志，虽死犹生；不得其志，虽生犹死。

无名氏：《无能子·宋玉说》

人须要立志。初时立志为君子，后来多有变为小人的。若初时不先立下一个定志，则中无定向，便无所不为，便为天下之小人，众人皆贱恶你。

扬继盛：见《诲儿编》

志者,学之师也;才者,学之徒也。学者不患才之不赡,而患志之不立。是以为之者亿兆,而成之者无几,故君子必立其志。

徐干:《中论》

虎瘦雄心在,人贫志气存。

万松:《雕虫集》

人生须广大,勿作井中蛙。

陆游:《自治》

君子乐得其志,小人乐得其事。

《六韬·文韬·文师》

有志不在年高,无志空活百岁。

王玉昆:《三侠五义》

能下人者,其志必高,其所致必远。

张养浩:《牧民忠告》

少年立志要远大,持身要紧严,立志不高,则溺于流俗;持身不严,则入匪辟。

张履祥:《杨园先生全集·初学备忘(上)》

成大事者,争百年,不争一息。

冯梦龙:《增广智囊补·捷智部总叙》

人领先立志,志立则有根本。譬如树木须先有个根本,然后培养,能成合抱之木。

《古今图书集成·学行曲》

志高则其言洁,志大则其辞弘,志远则其旨永。

叶燮:《原诗·外篇上》

学莫先于立志;学莫先于自知。

《陈确集·别集·学谱》

若俯首贴耳,摇尾而乞怜者,非我之志也!

韩愈:《应科目时与为书》

志立则学思从之,故才日益而聪明日盛,成乎富有;志之笃,则气从其志,以不倦而日新。

王夫之:《张子正蒙注》卷五

天下无不可为之事,只怕立志不坚。

金缨:《格言联璧·处事》

子弟少年知识方开,须以端谨长厚养其心,为一生人品根基。

申居郧:《西岩赘语》

品卑由于无志,无志由于识低。

申居郧:《西岩赘语》

谚云:世界无难事,只畏有心人。有心之人,即立志之坚者也,志坚则不畏事之不成。

任弼时:《言志》

把意念深潜得下,何理不可得;把志气奋发得起,何事不可做。

吕坤:《呻吟语·补遗》

贫不足羞,可羞是贫而无志。

吕坤:《呻吟语·力行》

兵事以人才为根本,人才以志气为根本。

蔡锷:《蔡锷集·(曾胡治兵语录)序及按语》

人要立心做大事,不要立心做大官。

孙中山:《孙中山全集·在上海中国国民党本部的演说》

男儿志兮天下事,但有进兮不有止,言志已酬便无志。

梁启超:《志未酬》

人品、学问,俱成于志气;无志气人,一事做不得。

申居郧:《西岩赘语》

志气太大,理想过多,事实迎不上头来,结果自然是失望烦闷;志气太小,因循苟且,麻木消沉,结果就必至于堕落。

朱光潜

立大志,求大智,做大事。

陶行知:《陶行知文集·佘儿岗自动小学三周年》

我们应该顺应自然,立在真实上,求得人生的光明,不可陷入勉强、虚伪的境界,把真正人生都归幻灭。

李大钊:《现代青年活动的方向》

大丈夫作事,应有最大的决心,见义勇为,见危不惧,要引导人走上光明之路,不要被人拖入黑暗之潭。

方志敏:《可爱的中国》

永远向着未来,不要怀念过去。

　　　　　　　　叶圣陶:《少年航空兵祖国梦游记·序》

人生为一大事来,做一大事去。

　　　　　　陶行知:《陶行知文集·介绍一败涂地件大事》

有了高尚的心志,才能有高尚的人物。所以我们说人们要有高尚的思想,没有高尚的思想,就没有高尚的行动。

　　　　　　　　　　　　　　福泽谕吉:见《劝学篇》

有些人活着没有任何目标,他们在世间行走,就像河中的一棵小草,他们不是行走,而是随波逐流。

　　　　　　　　　　　　　　　　　小塞涅卡

不肯安静的人,总是向着前方,向着高处迈进,不断向前,不断向上!

　　　　　　　　　　　　　　　高尔基:《人》

一个人追求的目标越高,他的才力就发展得越快,对社会就越有益;我相信这也是一个真理。

　　　　　　　　　　　　　　高尔基:《论文学》

一个人能否有成就,只看他是否具备自尊心与自信心两个条件。

　　　　　　　　　　　　　　　　　苏格拉底

刚强的人尽管在内心很激动,但他们的见解和信念却像在暴风雨中颠簸的船上的罗盘指针,仍能准确地指出方向。

　　　　　　　　　　　　克劳塞维茨:《战争论》

不怕没有机会,只怕没有志气。

> 茅盾:《茅盾全集·少年印刷工》

人类的伟大不在于他们在做什么,而在于他们想做什么。

> 罗·勃朗宁:《索尔》

志气和贫困是患难兄弟,世人常见他们伴在一起。

> 托·富勒:《箴言集》

雄心壮志是茫茫黑夜中的北斗星。

> 罗·勃朗宁:《科隆蓓的生日》

人可穷而志不可穷。

> 约·梅森:《麦克古菲的第三个读经师》

人若有志,万事可为。

> 塞·斯迈尔斯《自助》

恭维不会使女人飘然,却往往使男人丧志。

> 王尔德:《理想丈夫》

心中认定一个目标,无论他人如何责骂,自己只管前进。

> 塞·罗杰斯:《人生》

必须自己和自己搏斗,才能够征服自己。

> 罗曼·罗兰《母与子》

自信是从事大事业所必须具备的素质。

> 塞·约翰逊:《文集》第四卷

有志者事竟成。

范晔

勇气减轻了命运的打击。

德谟克利特

命运压不垮一个人，只会使人坚强起来。

伯尔

智谋出于急难，巧计生于临危。

莎士比亚

跌而不振，则悔之亡及也。

晁错

经一番挫折，长一番见识。

申涵光

失败本身包含着胜利。

恩格斯

你不走错路，就不会懂得事理。

歌德

对于任何人来说，失败总是不可避免的。

加藤谛三

早年尝几次失败的滋味，终身受用不浅。

赫胥黎

失败是一种教训，它是情况好转的第一步。

菲力普斯

因失误而造成的失败，是金钱买不到的经验。

埃·哈伯德

失败可能是变相的胜利，最低潮就是高潮所始。

朗费罗

败而不馁，就是胜者。

埃·哈伯德

谁若不把旁人做前车之鉴，旁人便把他做前车之鉴。

乔叟

人在奋斗时，难免迷误。

歌德

持其志无暴其气。

《孟子·公孙丑上》

志不强者智不达，言不信者行不果。

《墨子·修身》

无冥冥之志者，无昭昭之明。

《荀子·劝学》

怨人者穷，怨天者无志。

《荀子·荣辱》

人无善志，虽勇必伤。

《淮南子·主术训》

学者不患才之瞻，而患志之不上。

徐干

丈夫志四海，万里犹比邻。

曹植

学之广在于不倦，不倦在于固志。

葛洪

人之急志之不立，亦何忧令名不彰邪？

刘义庆

少年心事当拿云，谁念幽寒坐呜呃！

李贺

心定而事得。

武则天

一息尚存，志不容少懈。

朱熹

宜守不移之志，以成可大之功。

苏轼

人老志趣不远，心不在焉，虽学无成。

张载

志不可慢，时不可失。

程颢

立志在久不在锐，成功在久不在速。

张孝祥

一人立志，万人莫敌。

冯梦龙

丈夫所志在经国，期使四海皆衽席。

海瑞

志不立，天下无可成之事。

王守仁

未有无志而能有成者。

王守仁

古称金丹换骨，余谓立志即金丹也。

曾国藩

下手处是自强不息，成就处是至诚无息。

金缨

水激石则鸣，人激志则宏。

秋瑾

世上无难事，只要肯登攀。

毛泽东

真正之才智乃刚毅之志向。

拿破仑

使人伟大或渺小皆在其人之志。

席勒

只要你坚信能做的事，你就一定能胜任它。

爱默生

对于一个意志坚强的人来说，无事不能为。

海伍德

无所事事只是薄弱意志的避难所。

斯坦霍普

只要你抱着希望，死去的意志就会在你内心复活。

罗曼·罗兰

温柔的人也会有铁一样的意志。

欧文·斯通

一个人如果胸无大志，即使再有壮丽的举动也称不上是伟人。

拉罗什富科:《箴言录》

意志·性格

一个人的真正伟大之处就在于他能够认识到自己的渺小。

保罗

一个头脑正常的人,是不会自满的。

(加拿大)班廷

一个志在有大成就的人,他必须如歌德所说知道限制自己。

(德)黑格尔

一思可以制百勇,一静可以制百动。

(宋)苏洵

人,应该比石头还坚硬,比花还温柔。

(蒙古)谚语

人不可以自恕,亦不可令人恕我。

(清)李惺

人不会被别人所欺骗,他只会欺骗自己。

(德)歌德

人之遇患难,须平心易气以处之。

(清)黄宗羲

人生如果不能忍辱，就无法成就事业、学业与道业。

(现代)严沁

人生最困难的事情是认识自己。

(希腊)特莱斯

人有不及者，不可以已能病之。

《薛文清公读书录》

人我之际，须看得平，功名之际，须看得淡。

(清)曾国藩

人若能摒弃虚伪，则会获得极大的心灵平静。

(美)马克·吐温

人类的伟大，决定于失意时所能忍耐的程度。

(古罗马)蒲鲁塔克

万骗之首乃在于"自欺"，若能自欺，何恶不敢为？

(英)贝利

义理之勇不可无，血气之勇不可有。

(明)杨柔胜

也许个性中没有比坚定的决心更重要的成分。

(美)提奥多·罗斯福

大胆产生勇气，多疑却产生恐惧。

(古罗马)西拉斯

小事不忍耐，必招大灾难。

(英)莎士比亚

弓满则折，月满则缺，自满者败，自矜者愚。

(汉族)谚语

不可自暴自弃自屈。

(宋)陆象山

不自重者致辱，不自畏者招祸。

(清)申涵煜

不论是别人在跟前或自己单独的时候，都不要做一点卑劣的事情，最要紧的是自尊。

(古希腊)毕达哥拉斯

不求荣，斯无辱；不求誉，斯无毁。

(清)魏源

不学无术的庸人，犹如寸草不长的荒地；没有韧性的人，宛如一盏没有油的灯。

(阿拉伯)谚语

不学会评价自己，就不能评价别人。

(德)歌德

人之谤我也，与其能辩，不如能容；人之侮我也，与其能妨，不如能化。

《格言联璧》

不怕死的人还畏惧什么？

（德）席勒

不怨天，不尤人。

孔子《论语》

不是在受称赞之时，而是在挨骂之时仍不失谦虚之心，这才是真正的谦虚。

（美）赛珍珠

不是你战胜生命，就是生活将你压碎。

（中国）茅盾

不要把谦虚看成懦弱。

（蒙古族）谚语

不能正己，焉能化人。

《小五义》

不能驾驭外界，我就驾驭自己，如果外界不适应我，那么我就去适应它们。

（法）蒙田

不虚则先自满，假教之亦不能受。

（清）朱舜水

从事一项艰难的事业，无论是唱歌，表演或是写作，都必须有极大自信。

（意大利）索菲·罗兰

不傲才以骄人，不以定而作威。

(三国)诸葛亮

不管风吹浪打，胜似闲庭信步。

(现代)毛泽东

天下无难事，唯坚忍二字，为成功之要诀。

(中国)黄兴

天才不过是更大的忍受能力。

(法)塞舍尔

太刚则折，太柔则卷。

《淮南子》

少一分私心，多一分勇气。

(汉族)谚语

少许的忍耐，价值胜于大量的智力。

(荷兰)谚语

无法统治自己的人，绝无自由可言。

(希腊)艾匹克蒂塔

气度狭小就被逆境驯服，宽宏大量则足以把逆境克服。

(美)华盛顿·欧文

艺最高者，其艺不露。

(英)波恩

世人缺乏的是毅力，而非气力。

(法)雨果

世界是属于勇者的。

(意大利)哥伦布

冬青树上挂凌霄，岁晏花凋树不凋。

(唐)顾况

只有经得起环境考验的人，才能算是真正的强者。

松下幸之助

让得祥，争得殃。

(清)金植

可能有虚伪的谦虚，但决没有虚伪的骄傲。

(法)勒纳尔

处患难者勿为怨天尤人之言，处显贵者勿为矜已傲人之言。

(清)钱大昕

失意事来，治之以忍；快心事来，处之以淡。

(明)洪应明

左眼看到别人缺点时，右眼要审视自己。

(巴基斯坦)谚语

节乎已者，贪心不生。

(隋)王通

用积极的心理态度,指挥你的思想,控制你的情绪,掌握你的命运。

(美)希尔

　　节乎已者,贪心不生。

(隋)王通

　　只有一条路可以通往远大的目标及完成伟大的事业:力量与坚忍。

(德)歌德

　　只有那些晓得控制他们的缺点,不让这些缺点控制自己的人才是强者。

巴尔扎克

　　伟大人物最明显的标志,就是他的坚强的意志。

(美)爱迪生

　　刚强是指在最激动或热情奔放的时候也能够听从辞别智力支配的一种能力。

(德)克劳塞维茨

　　在人生的道路上能谦让三分,即能天宽地阔,消除一切困难,解除一切纠葛。

(美)卡耐基

　　在风雨里飞翔的鸟才是勇敢的,顶着困难往前跑的人才是有出息的。

(哈尼族)谚语

在挫折面前,耐心和忍耐是区别成人和孩子的两个特征。

（巴西)雅内特布拉格

多不足以依赖,要生存只有靠自己。

（法)拿破仑

多忿害物,多欲害已,多逸害性,多忧害志。

（宋)崔敦礼

好责人者,自治必疏。

（清)申居郧

如果一个人做事没有恒心,他是任何事也做不成功的。

（英)牛顿

如果你是懦夫,你便是自己最大的敌人。

（美)法兰克

如烟往事俱忘却,心底无私天自宽。

（现代)陶铸

妄危不贰其志,险易不革其心。

（唐)魏征

当我们大为谦卑的时候,便是我们最近于伟大的时候。

（印度)泰戈尔

有非常之胆识始可做非常之事业。

（美)富兰克林

好炫耀实是明哲之士所轻视的,愚蠢之人所艳羡的,谄佞之徒所奉承的。

(英)培根

有牺牲精神就有成功之希望。

(日本)谚语

有麝自然香,何必当风立。

(清)钱大昕

好胜者必争,贪勇者必辱。

(宋)林逋

好胜者必败,恃壮者易疾。

(清)申涵光

朴能镇浮,静能御躁。

(清)申居郧

自信是走向成功之路的第一步;缺乏自信是失败的主要原因。

(英)莎士比亚

江海所以能成为百谷之王者,以其善下。

《老子》

我们不能宽慰自己被敌所欺和被友所叛,但却常常满足于自欺自叛。

(法)拉罗什富科

有勇则希望无穷。

（罗马）泰两塔斯

百尺无寸技，一生自孤立。

（唐）宋之问

百战百胜，有如一忍；万言万当，不如一默。

（宋）黄庭坚

自己夸口只能使自己不幸。

（英）拜伦

自我控制是最强者的本能。

（英）萧伯纳

自信，是成功第一秘诀。

（美）爱默生

自律不严，何以服众。

（元）张养浩

自满、自高自大和轻信是人生的三大暗礁。

（法）巴尔扎克

达士如弦直，小人似钩曲。

（唐）杜甫

两腿站直的普通人，比屈膝下跪的名人高大。

（土耳其）谚语

估计一个人力量的大小，应看他的自制力如何。

(意大利)但丁

你若能坚忍不拔一心专注，就能够山中探宝，海底寻珠。

(斯)内扎米

君子大过人处，只在虚心而已。

(清)曾国藩

君子不以已所得者病人，能以人所不能者愧人。

《礼记》

君子以细行律身，不以细行取人。

(清)魏源

君子忍人所不能忍，容人所不容，处人所不能处。

《观微子》

君子表不隐里，明暗同度。

《意林》

君子能忍人所有能忍。

(宋)邵雍

困苦是坚强之母。

(英)莎士比亚

希望是坚固的手杖，忍耐是旅衣。

(德)罗高

应该相信自己是生活的强者。

(法)雨果

忍一时之气,免百日之忧;一切诸烦恼,皆从不忍生。

(希腊)谚语

忍耐足以征服一切困难。

(罗马)谚语

忍耐是创造希望的技术。

(法)沃夫拿格

忍耐是抵抗侮辱最好的盾牌。

(英)傅勒

忍耐虽然痛苦,果实却最香甜。

(波斯)萨迪

忍得一时急,终身无恼闷。

(清)曹雪芹

求诸己者易,求诸人者难。

(清)李百川

没有伟大的意志力,就不可能有雄才大略。

(法)巴尔扎克

穷不易操,达不患失。

(宋)林逋

我们不能宽慰自已被敌所欺和被友所叛,但却常常满足于自欺自叛。

(法)拉罗什富科

　　成有强者智不达,言不信者行不果。

《墨子》

　　丧失财富的人损失很大,可是丧失勇气的人,便什么都完了。

(西班牙)塞万提斯

　　和顺恭慎者,患在少断。

《意林》

　　宠位不足以尊我,而卑贱不足以卑已。

(汉)王符

　　屈已者,能处人;好胜者,必遇敌。

(宋)林逋

　　我相信每个人都有可能走向成功之路,但必须有坚强的毅力去开创。

(现代)徐悲鸿

　　骄傲自满是我们的一座可怕的陷井;而且,这个陷井是我们自已亲手挖掘的。

(现代)老舍

　　所有的残酷都起源于懦弱。

(古罗马)辛尼加

浅见的人成天叫唤,能干的人从不喧张。

(汉族)谚语

艰难之日要坚定,顺利之时要谨慎。

(汉族)谚语

英气太露,最害事。

(清)黄宗羲

表壮不如里壮。

《水浒传》

诚实人的眼睛就是天平。

(阿拉伯)谚语

诚实重于珠宝。

(南斯拉夫)谚语

勇气不在胳膊上。

(维吾尔族)谚语

勇气是一个人的最大财富。

(保加利亚)谚语

勇敢和必胜的信念常使战斗得以胜利结束。

(德)恩格斯

勇敢是人类美德的高峰。

(俄)普希金

威武面前不下跪,困难面前不低头。

(蒙古族)谚语

律已足以服人,量宽足以得人。

(宋)林逋

怒是猛虎,欲是深渊。

《格言联璧》

急躁的人一件事要做两次。

(伊朗)谚语

矜物之人,无大士焉。

《管子》

种种烦恼,皆为我练心之助;种种危险,皆为我练胆之助。

(清)梁启超

耐心和持久胜过激烈和狂热。

(法)拉封丹

胆小鬼用两条腿考虑问题,冒失鬼用两个拳头考虑问题。

(阿拉伯)谚语

轻则寡谋,骄则无理。

(春秋)左丘明

轻浮的人就像苇帘一样,随风飘动。

(阿拉伯)谚语

骄傲使天使沦为魔鬼，谦虚使凡人仿如天使。

(古罗马)奥古斯丁

骄傲的人像朽木，烧不着，只冒烟。

(阿富汗)谚语

骄傲的人总是憎恨别人的骄傲。

(美)富兰克林

骄傲就是无知。

(汉族)谚语

真金在烈火中炼就，勇气在困难中培养。

(古罗马)塞涅卡

能自制的人就是最强有力的人。

(古罗马)西塞罗

莫显乎隐，莫显乎微，故君子必慎其独也。

《中庸》

谁有自知之明，便不会陷入困难。

(阿拉伯)谚语

谁怕打，谁就一定挨打。

(阿拉伯)谚语

谁的腰弯得最厉害，我就在谁的腰上踢一脚。

(古罗马)凯撒

起初我们造就习惯,后来习惯造就我们。

(英)王尔德

顽强的毅力可以征服世界上任何一座高峰。

(英)狄更斯

宿命论是那些缺乏意志力的弱者的借口。

(法)罗曼·罗兰

得忍且忍,得耐且耐;不忍不耐,小事成大。

(元)郑廷玉

患难之来,当以心制境,不当以境役心。

(清)顾有孝

患难困苦,是磨练人格之最高学校。

(清)梁启超

惟宽可以容人,惟厚可以载物。

《薛文清公谈书录》

粗心大意事易败,谨谨慎慎事能成。

(俄罗斯)谚语

虚心使人进步,骄傲使人落后。

(现代)毛泽东

虚夸好比穿上一件美丽但不遮体的纱衣。

(汉族)谚语

傲人不如者,必浅人;疑人不省者,必小人。

(清)申居郧

傲慢是愚人的特征,自满是智慧的尽头。

(汉族)谚语

智者一切求自己,愚者一切求他人。

(英)卡莱尔

最有学问和最有见识的人总是很谨慎的。

(法)卢梭

欺人亦是自欺,此又是自欺之甚者。

(宋)朱熹

舒适的生活磨损意志,艰苦的斗争陶冶英雄。

(汉族)谚语

装满水的瓶子摇动也不出声。

(汉族)谚语

谦虚几乎总是和学生的才能成正比,不谦虚则成反比。

(苏联)普列汉诺夫

谦虚的人为探索真理而打开门窗。

(汉族)谚语

谦虚是对不完善或有缺点的默认。

(英)博克

谦虚是荣誉的忠实朋友,骄傲是荣誉的凶恶敌人。

(汉族)谚语

谦虚常是庄严,常是尊贵。

(美)罗威尔

想左右天下的人,须先能左右自己。

(古希腊)苏格拉底

愚蠢和傲慢同是一树之果。

(德国)谚语

满必溢,骄必败。

(汉族)谚语

满招损,谦受益,天道也。

(清)蒲松龄

嘉木依性植,曲枝亦不生。

(唐)孟郊

嘉赏未尝喜,抑挫未尝惧。

(宋)朱熹

寡取易盈,好逞易穷。

(宋)岳飞

懒惰就像生锈一样,它长起来要比勤劳把锈磨去还快。

(美)富兰克林

记人之长，忘人之短。

张九龄

君子不为苛察。

庄子

论人之善，忘人之过。

泰宓

君子扬人之善，小人计人之恶。

魏征

人谁无过，当容其改。

《新唐书》

有忍，其乃有济；有容，德乃大。

《尚书》

宽容是荆棘丛中长出来的谷粒。

普列姆昌德

大地承受不住的东西，胸怀可以容纳。

萨克族

谚语随着智慧的深邃，我们会变得更宽容。

斯塔尔夫

不会宽容别人的人，是不配受到别人的宽容的。

屠格涅夫

在人生的道路上能谦让三分，就能天宽地阔。

　　　　　　　　　　　　　　　　　　　　卡耐基

处世让一步为高，退步即进步的张本。

　　　　　　　　　　　　　　　　　　　　洪应明

虽有戈矛之利，不如恭俭之利也。

　　　　　　　　　　　　　　　　　　　　荀子礼

让一寸，得礼一尺。

　　　　　　　　　　　　　　　　　　　　曹操

独立于万物之上，乃为有志；能屈于万人之下，乃为有养。

　　　　　　　　　　　　　　　　　　　　周亮工

人伴贤良智转高。

余简

夫座中无知音,安得有神详。

孟云卿

朋友是你送给自己的一份厚礼。

史蒂文森

旧友是一面最澄澈的镜子。

英国谚语

请君试问东流水,刻意与之谁短长?

李白

择友如挑书,少但要精。

英国谚语

友正直者日益,友邪柔者日损。

《薛文清公读书录·交友》

兄弟不一定是朋友,但朋友往往是兄弟。

富兰克林

如交不慎,后必成仇。

申居郧

友以势力交,势尽交待止。

崔瞻

损友敬而远,益友直相亲。

《逊志带集·朋友》

友情是人生的美酒。

阿·杨格

友情是瞬间开放的花,而时间会使它结果。

科策布

了解一个朋友,更主要的是通过他的缺点而不是优点。

毛姆

非诚心款契,不足以结师友。

《抱朴子·微子》

朋友和知己是为了达到幸福的可靠通行证。

叔本华

八面玲珑的人不会有一个真正的朋友。

谚语

金钱易挣,情谊难寻。

谚语

朋友的惟一礼物就是他自己。

桑塔亚那

朋友看朋友是透明的,他们彼此交换生命。

罗曼·罗兰

没有友谊则斯世不过是一片荒野。

培根

这个世界上的全部荣华还不如一个好朋友。

伏尔泰

好书愈读趣愈浓,良友愈交情愈深。

瓦鲁瓦尔

顺境招来朋友,逆境考验朋友。

绪儒斯

酒肉朋友易找,患难之交难逢。

谚语

没有友谊,世界仿佛失去太阳。

西塞罗

友谊是精神的默契,心灵的相通,美德的结合。

彭威廉

有好友为伴的旅程是最短的。

哥尔德斯密斯

恋爱是我们第二次脱胎换骨。

巴尔扎克

爱是一切善良、崇高、坚强、温暖和光明事物的创造者。

捷尔任斯基

智慧索以千眼观物,爱情常以独目看人。

高尔基

经历过痛苦而成熟的爱情,是最热烈的爱情。

罗曼·罗兰

恋爱是开启人生秘密的钥匙。

岛崎藤村

爱情之剑可以穿石。

谚语

恋爱是一切生物的帝王。

维吉尔

爱情实际上是心灵的火焰。

斯韦登伯格

人类终于发明了爱情,并使它成为人类最完善的宗教。

巴尔扎克

人间如果没有爱,太阳也会灭。

雨果

爱一个人的前提是了解一个人。

纳撒尼尔·布里登

电光一闪即逝,而爱情之光能照耀人的一生。

苏霍姆林斯基

没有爱情的人生,不是真正的人生。

莫里哀

爱情不再是奥秘的时候,爱情也就无所谓快事了。

贝恩

恋爱是生命的昂扬,热情是恋爱之冠。

阿密埃尔

若完全只注重爱情,一定会因爱情而毁灭。

希尔泰

爱是抵御忧伤的盾牌。

夸西莫夫

没有爱情，就不可能有生命。

革拉特科夫

爱是我们生存的金字塔的基石和顶点。

波特森

恋人的心曲尽在眼神中。

弗莱彻

爱情的欢乐中掺杂着泪水。

罗·赫里克

爱的痛苦要比其他一切欢乐都要甜美。

德莱顿

记忆是相会的一种形式。

纪伯伦

今日送君须尽醉，明朝相忆路漫漫。

贾至

蜡烛有心还惜别，替人垂泪到天明。

杜牧

回忆容易呵，忘却难。

埃·卡尔费尔德

嫉妒本质上就是愚蠢和蛮不讲理的。

巴尔扎克

嫉妒潜藏在人心底,如毒蛇潜伏在穴中。

> 巴尔扎克

嫉妒别人的才能,也许正好说明自己的无能。

> 黄药眠

嫉妒是蚕食荣誉的蠹虫。

> 培根

嫉妒是诸恶德里最大的恶德。

> 司汤达

嫉妒属于一种恐惧。

> 笛卡儿

嫉妒是没有假日的。

> 培根

嫉妒我的人在不知不觉之中颂扬了我。

> 纪伯伦

女人,嫉妒是你的名字。

> 诧摩武俊

恐惧是伟大而远见的导师,是一切变革的前兆。

> 爱默生

妒忌心强的人以恨人开始,以害己告终。

> 加·哈维

凡是真正的爱情都伴随着可怕的嫉妒。

欧·梅雷迪思

缺乏才能和意志之处，最易产生嫉妒。

希尔迪

每一个埋头沉入自己事业的人，是没有功夫去嫉妒别人的。

培根

嫉妒者在责难别人之前，常常喜欢称赞对方。

洛高

恩爱给人智慧，嫉妒使人愚蠢。

派斯格尔

没有喜悦的人生，是没有油的灯。

司各特

快乐就是身体的无痛苦和灵魂的无纷扰。

伊壁鸠鲁

人生的真正欢乐是致力于一个自己认为是伟大的目标。

萧伯纳

对于凌驾于命运之上的人来说，信心是命运的主宰。

海伦·凯勒

如果没有自信心的话，你永远也不会有快乐。

拉罗什富科

自信是成功的第一要诀。

爱默生

魅力是一种无形的美。

索菲娅·罗兰

信心是灵魂的防腐剂。

惠特曼

魅力是一种内在美,而不是妖媚的面貌和动人的体态。

布雷默

魅力通常是在智慧之中,而不是在容貌之中。

孟德斯鸠

忧愁是一朵黑云,可以改变人们的精神状态。

雨果

忧愁是盗走美容的窃贼。

马米昂

把忧伤化成一种力量,引导自己前进。

班生

自寻烦恼者永远不会寻不着烦恼的。

哈伯特

让死者有那不朽的名,但让生者有那不朽的爱。

泰戈尔

憎恨是平息下来的愤怒。

西塞罗

贞洁是价值连城的宝石。

布雷多克

人间尽管有千愁万苦，最难过的莫如离情别绪。

阿卜杜勒·拉赫曼

爱得越滥，就爱得越浅。

司汤达

你若想证实你的坚贞，首先须证实你的忠诚。

弥尔顿

爱情是连接高尚思想的锁，忠诚是禁锢春情的钥匙。

罗·格林

必须以回忆补偿离别。记忆是我们看望远离者的镜子。

诺贝尔

仁爱，仁者，爱人也。

孔子

人，应当救他所爱的人。

罗曼·罗兰

爱就是充实了的生命，正如盛满了酒的酒杯。

泰戈尔

只有热爱人的人才可以惩戒人。

泰戈尔

一家仁,国家兴仁;一家让,国家兴让。

《礼记·大学》

欲齐其家者,先修其身。

《礼记·大学》

爱子教之以义方,弗纳于邪。

《左传·隐公三年》

以色事人者,色衰而爱弛。

司马迁

贫贱之知不可忘,糟糠之妻不下堂。

范晔

愿为双飞鸟,比翼共翱翔。丹青著明誓,永世不相忘。

阮籍

治家者务立其本,本立则末正。

诸葛亮

爱其子而不教,犹为不爱;教而不以善,犹为不爱。

方孝孺

爱情必须时时更新、生长、创造。

鲁迅

为了求恋爱成功而尽量隐藏自己的缺点的人其实是愚蠢的。

傅雷

以德遗后者昌，以财遗后者亡。

林逋

恋爱是美丽的，婚姻却是神圣的。

伊丽莎白

恋爱不是慈善事业，所以不能慷慨施舍。

萧伯纳

过度的爱情追求，必然会降低人本身的价值。

培根

人生是花，而爱便是花的蜜。

雨果

爱情是伟大的导师，教我们重新做人。

莫里哀

真正的爱情是双方互相"无条件投降"。

福楼拜

学习爱人的技巧并不难，学习被人爱的技巧那才难。

都德

治理一个家庭比统治一个王国更难。

蒙田

结婚就意味着平分个人权益,承担双份义务。

　　　　　　　　　　　　　　　　　叔本华

爱使生命燃烧,使生活充实。

　　　　　　　　　　　　　　　　　　歌德

道不同,不相为谋。

　　　　　　　　　　　　　　　　　《论语》

同欲者相借,同优者相亲。

　　　　　　　　　　　　　　　　《战国策》

同德则同心,同心则同志。

　　　　　　　　　　　　　　　　　左丘明

恭者不侮人,俭者不夺人。

　　　　　　　　　　　　　　　《孟子·离娄》

爱人者人恒爱之,敬人者人恒敬之。

　　　　　　　　　　　　　　　《孟子·离娄》

怀利以相接,然而不亡者,未之有也。

　　　　　　　　　　　　　　《孟子·告子下》

君子忌苟合,择交如求师。

　　　　　　　　　　　　　　　　　贾岛

君子淡如水,岁久情愈真。小人甜如蜜,转眼成仇人。

　　　　　　　　　　　　　　　　　方孝孺

损友敬而远,益友宜相亲。

方孝孺

择交是第一要事,须择志趣远大者。

曾国藩

不相信任何人和相信任何人,同样是错误的。

塞涅卡

真实的十分理智的友谊是人生最美好的无价之宝。

高尔基

最能保人心神之健康的预防药就是朋友的忠言规谏。

培根

没有真挚朋友的人,是真正孤独的人。

培根

真挚的友谊,是人完善与进步的力量源泉。

萨克雷

友谊之光像磷火,当四周漆黑之际最为显露。

克伦威尔

友谊是人生的美酒。

杨格

节操篇

品·行

富贵不能淫,贫贱不能移,威武不能屈,此之谓大丈夫。

孟轲:《孟子·滕文公章句下》

芝兰生于幽林,不以无人而不芳;君子修道立德,不为穷困而改节。

《孔子家语·在厄》

岁不寒无以知松柏,事不难无以知君子。

荀况:《荀子·大略篇》

石可破也，而不可夺坚。

《吕氏春秋·诚廉》

进不失廉，退不失行。

《晏子春秋·内篇·问上》

富贵不傲物，贫贱不易行。

《晏子春秋·内篇·问下》

雪后始知松柏操，事难方见丈夫心。

释道元：《五灯会元》卷十九

豪杰之士，必有过人之节。

苏轼：《留侯论》

受不得穷，立不得品。

申居郧：《申岩赘语》

不以穷变节，不以饿丧志。

桓宽：《盐铁论·地广》

不临难，不见忠臣之心；不临财，不见义士之节。

林逋：《省心录》

盖棺始能定士之贤愚，临事始能见人之操守。

林逋：《省心录》

高尚之士，不以名位为光宠；忠正之士，不以穷达易志操。

申涵煜：《省心短语》

事业文章,随身销毁,而精神万古如新。

洪应明:《菜根谭》

志士不饮盗泉之水,廉者不受嗟来之食。

范晔:《后汉书·列女传》

大丈夫行事,论是非,不论利害;论顺逆,不论成败;论万世,不论一生。

黄宗羲:《宗元学案》

长年自保风霜节,不学春红向暖开。

薛文清:《薛文清公文集·题松竹梅图》

宁丧千金,不丧士心。

范晔:《后汉书·李陈庞陈桥列传》

以冰霜之操自励,则品日清高;以穹隆之量容人,则德日广大。

弘一大师:《寒笳集》

愿坚晚节于岁寒。

杨万里:《清虚子此君轩赋》

君子不为穷变节,不为残易志。

李豫亨:《三事溯真·标贤章》

傲骨不可无,傲心不可有。无傲骨则近于鄙夫,有傲心不得为君子。

张潮:《幽梦影》

用人之势，高士不为。

张昭远：《旧唐书·李怀远传》

世间有骨头人甚少，有见识人尤少。聪明人虽可喜，若不兼此二种，尽聪明亦徒然耳。

李贽：《续焚书·与焦弱侯》

时危见臣节，世乱识忠良。

鲍照《代出自蓟北门行》

贞一之士，不曲道以媚时，不诡行以邀名。

马总：《意林·正论》

不要人夸颜色好，只留清气满乾坤。

王冕：《墨梅》

大丈夫行事当磊磊落落，如日月皎然。

房玄龄：《晋书·石勒载记》

饥寒交凑，则廉耻不立。

沈约：《宋书·庚悦列传》

爵禄易得，名节难保。爵禄或失，有时而再来；名节一亏，终身不复矣。

浦起龙：《史通通释·曲笔》

屈辱，痛苦，一切难于忍受的生活，我都能忍受下去！这些都不能丝毫动摇我们的决心，相反的，是更加磨炼我的意志！

方志敏：《可爱的中国》

人有耻,在大足以战,在小足以守。

《吴子·图国》

保初节易,保晚节难。

朱熹:《名臣言行录》

根深不怕风摇动,树正何愁月影斜。

无名氏:《精忠记》

万人一心兮泰山可撼,惟忠与义兮气冲斗牛。

戚继光:《凯歌》

黄金若粪土,肝胆硬如铁。

石达开:《入川题壁》

正义之士与邪枉之人不两立。

王符:《帕夫伦·潜叹》

出淤泥而不染,濯清涟而不妖。

周敦颐:《爱莲说》

安不忘危,慎不忘节,穷不忘操,贵不忘道。

皮日休:《皮子文薮·六箴序》

临大难而不惧,圣人之勇。

《太平御览·勇》

人之大节一亏,百事涂地。

刘因:《辋川图记》

吾不能为五斗米折腰,拳拳事乡里小人邪!

陶潜:见《晋书·陶潜传》

怒不变容,喜不失节,故是最为难。

陈寿:《三国志·魏志·后妃传》

与其浊富,宁此清贫。

姚崇:《冰壶城》

秋菊能傲霜,风霜重重恶;本性能耐寒,风霜其奈何?

陈毅:《冬夜杂咏·秋菊》

我的座右铭是:人不可有傲气,但不可无傲骨!

徐悲鸿

正直的人从来不会成为暴发户。

米南德:《今天》

英雄,——就是这样一个人,他在决定性关头做了为人类社会的利益所需要做的事。

伏契克:《论英雄与英雄主义》

陷在污泥中的人,往往比穿绸缎的人还要干净。

高尔基:《福马·高尔杰耶夫》

名誉,务必争取;尊严,不可丧失。没有名誉,就是默默无闻,这只是一种消极现象。但,丧失了尊严,就是羞耻,这就具有消极品格了。

叔本华:《地位》

没有东西像清洁的名声那样可贵。

拜伦：《唐璜》

经验会使你懂得，吃别人面包的滋味是多么苦涩，爬他人楼梯的心情是多么悲伤。

但丁：《神曲·天国篇》

出卖亲属的人，不仅为被害者所憎恨，也为收买者所厌恶。

伊索：《伊索寓言》

在困厄颠沛的时候能坚定不移，这就是一个真正令人钦佩的人的不凡之处。

贝多芬：《贝多芬语录》

与其抢手而立伺候权贵，不如动手操劳搅拌泥灰。

萨迪：《蔷薇园》

穿行在污浊之中，自己却纯净如故。这就是阳光的本质。

培根：《学识的增长》

我可以咬住舌头，缄口不言，但是，我却不能使我的良知沉默不语。

泰戈尔：《新郎和新娘》

受金钱的利诱或政治的威胁而委身于人是可耻的，无论是对威胁没有胆量抵抗就投降，还是贪求财产或政治地位。因为这些势利名位金钱都不是持久不变的；高尚的友谊当然不能由这些东西产生。

柏拉图：《会饮》

我从心中对贫穷感到满足。美德虽然衣衫褴褛,却能为我驱寒保暖。

贺拉斯:《领诗集》

　　人假使没有自尊心,那就会一无价值,自尊心就是足以把地球移动的阿基米德的杠杆,但是同时,只有能够像骑手驭马一样控制自己的自尊心,牺牲自己的小我来为大我谋福利的人,才配得上人的称号。

屠格涅夫:《罗亭》

　　做一个圣人,那是特殊情形;做一个正直的人,那却是为人的正轨。

雨果:《悲惨世界》

　　不要从贼那里偷回你的财产,免得自己也像个贼。

《塔木德·散合得林》

　　宁可用你的脚尖挺立,而勿以四肢爬行。

尼采:《快乐的科学》

　　年轻的姑娘,特别是你们,必须知道好名誉比任何修饰都来得宝贵,而且好名誉像春天的花朵一样,一阵风就能把它毁了。

克雷洛夫:《克雷洛夫寓言》

　　挺拔的青杉不应俯首于卑微的灌木,只应让低矮的灌木在青杉脚下凋枯。

莎士比亚:《鲁克丽丝受辱记》

生死·义

志士仁人，无求生以害仁，有杀身以成仁。

孔丘：《论语·卫灵公篇》

生，亦我所欲也；义，亦我所欲也。二者不可得兼，舍生而取义者也。

孟轲：《孟子·告子章句上》

天下有道，以道殉身；天下无道，以身殉道。

孟轲：《孟子·尽心章句上》

权利不能倾也，群众不能移也，天下不能荡也，生乎由是，死乎由是，夫是之谓德操。

荀况：《荀子·劝学篇》

壮士不死则已，死即举大名耳。

陈涉：见《史记·陈涉世家》

师出之日。有死而荣，无生而辱。

《吴子·托将》

三生不改冰霜操，万死常留社稷身。乐死不如甘死，甘死不如义死，义死不如视死如归。

刘向：《说范·指武》

宁在见伐、无为曲全。宁渴而死,不饮盗泉。

王廷陈:《娇志篇》

如何不自闲,心与身为仇？死辱片时痛,生辱长年羞。

孟郊:《苦学吟》

富以苟不如贫以誉,生以辱不如死以荣。

王聘珍:《大戴礼记解诂·曾子制言》

大丈夫见善明,则重名节如泰山;用心刚。则轻死生如鸿毛。

林逋:《省心录》

古人求没世之名,今人求当世之名。

顾炎武:《日知录》卷七

不枉义以从死,不易言以求生。

刘向:《说苑·立节》

无义而生,不若有义而死;邪曲而得,不若正直而失。

王定保:《唐摭言》

人生孰无死？贵得死所耳。

夏完淳:《狱中上母书》

大丈夫宁可玉碎,不能瓦全。

李百药:《北齐书·元景安传》

捐躯若得其所,烈士不受其身。

房玄龄:《晋书·忠义烈传》

有愧而生，不如无愧而死。

申居郧:《西岩赘语》

人生自古谁无死，留取丹心照汗青。

文天祥:《过零丁洋》

不观大义者，不知生之不足贪也；不闻大言者，不知天下之不足利也。

刘向:《淮南子·精神训》

劝君莫惜头颅贵，留得中华史上名。

何香凝:《回忆廖仲恺》

宁可毁灭肉体十次，不可损害自己的灵魂！

墨塞:《为了面包》

懦夫在未死以前，就已经死过多次；勇士一生只死一次。

莎士比亚:《裘力斯·凯撒》

惜时篇

来世不可待,往世不可追也。

庄周:《庄子·人间世》

人生大地之间,若白驹之过隙,忽然而已。

庄周:《庄子·知北游》

一寸光阴一寸金,寸金难买寸光阴。

罗懋登:《三保太监西洋记》第 11 回

白发无凭吾老矣!青春不再汝知乎?年将弱冠非童子,学不成名岂丈夫?

俞良弼:《教子诗》

年年岁岁花相似,岁岁年年人不同。

> 刘希夷:《白头吟》

最严重的浪费就是时间的浪费。

> (法)布封

少年易学老难成,一寸光阴不可轻。

> 朱熹:《偶成诗》

年少当及时,蹉跎日就老。

> 《乐府·子夜歌》

日日日东上,日日日西没。任是神仙客,也须成朽骨。

> 齐己:《日日曲》

百金买骏马,千金买美人,万金买高爵,何处买青春?

> 屈复《偶然作》

花有重开日,人无再少年。

> 关汉卿《窦娥冤·楔子》

公道世间唯白发、贵人头上不曾饶。

> 杜牧:《樊川集·送隐者》

不饱食以终日,不起弃功于寸阴。

> 《抱朴·子勖学》

一日之计在于寅,一年之计在于春,一生之计在于勤。

> 姚舜牧:《药言》

寄浮游于天地,渺沧海之一粟。哀吾生之须臾,羡长江之无穷。

苏轼:《前赤壁赋》

岁月以往者不可复,未来者不可期,见在者不可失。

林逋:《省心录》

三更灯火五更鸡,正是男儿读书时;黑发不知勤学早,白首方悔读书迟。

颜真卿:《劝学》

人之短生,犹如石火,炯然以过。

《新语·惜时》

昨日之日背我走,明日之日肯来否?走者删除来者谁?惟有今日为我有。

袁枚:《对日歌》

心中要记住:每天便是每年中最好的日子。

爱默生

以过去和现在的铁铸一般的事实来测将来,洞若观火。

鲁迅

长江一去无回浪,人老何曾再少年。

(汉族)谚语

墨磨日短,人磨日老。寸阴是竞,尺璧勿宝。

黄兴

时间就是速度,时间就是力量。

> 郭沫若:《科学的春天》

不教一日闲过。

> 齐白石:见《中外名人治学的故事》

年无废月,月无废日,日无废时。

> 陶行知:《陶行知文集·生利主义之职业教育》

节省时间,也就是使一个人的有限的生命,更加有效,而也即等于延长了人的生命。

> 鲁迅:《禁用和自造》

时间就是性命。无端的空耗别人的时间,其实是无异于谋财害命的。

> 鲁迅:《门外文谈》

生活最沉重的负担不是工作而是无聊。

> 罗兰:《忙碌与进取》

在今天和明天之间,有一段很长的时期,趁你还有精神的时间,学习迅速地办事。

> 歌德:《格言诗》之二

辛勤的蜜蜂永没有时间悲哀。

> 布莱克:《布莱克诗选》

时间是一笔贷款,即便再守信用的借贷者也还不起。

> 塞内加:《教鲁西汉书信集》

时间应分配得精密,使每年、每月、每天和每小时都有它的特殊任务。

夸美纽斯:《大教学论》

真正的敏捷是一件很有价值的事。因为时间是衡量事业的标准,一如金钱是衡量货物的标准。

培根:《培根论说文集》

人若是把一生的光阴虚度,便是抛下黄金来买一物。

萨迪:《蔷薇园》

时间的步伐有三种:未来姗姗来迟,现在像箭一般飞逝,过去永远静立不动。

席勒:《孔夫子的箴言》

时间年复一年地每天都要盗走我们一些东西,它们最终将连我们从我们自己身上也一起盗走。

贺拉斯:《书札》

要惜时如金,不要等到失去了再去抓,因为时间不会停下步来。

亚·蒙哥马利:《切丽和斯洛》

在适当的时候去做事,可以节省时间,背道而行往往会徒劳无功。

(英)培根

一个今天胜于两个明天。

(美)富兰克林

一个胆敢浪费一小时时间的人是未曾发现人生价值的人。

(英)达尔文

一旦你坐失良机,就永远也擦不完那悔恨的泪水。

(英)布莱克

人间桑海朝朝变,莫谴佳期更后期。

(唐)李商隐

人事有代谢,往来成古今。

(唐)孟浩然

人拥有的东西没有比光阴更贵重、更有价值的了。

(德)贝多芬

人类的历史是耐心等待被虐待者获胜的福音。

(印度)泰戈尔

及时宜自勉,岁月不待人。

(晋)陶渊明

不览古今,论事不实。

(汉)王充

不惜寸阴于今日,必留遗憾于明日。

(法)拿破仑

今天所做之事,勿候明天;自己所做之事,勿候他人。

(德)歌德

今日的敌人明天却成了朋友——这就是历史。

(巴基斯坦)真纳

今是生活,今是动力,今是行为,今是创作。

(现代)李大钊

历史是过去的镜子和通向现在的楼梯。

(阿尔及利亚)阿里·米里

历史是证明时间经过的证人。历史参照现实,帮助我们的记忆,并带给我们古代的讯息。

(古罗马)西塞罗

天地者。万物之逆旅。光阴者,百代之过客。

(唐)李白

世界上本来就没有安全,有的只是机会。

(美)麦克阿瑟

匆忙未必是真正的迅速。

(希腊)谚语

你热爱生活吗,那么别浪费时间,因为时间是组成生命的材料。

(美)富兰克林

我们的生命皆由时间造成,片刻时间的浪费便是虚掷了一部分的生命。

(美)林肯

失去的时间流去的水，射出去的弓箭说出去的话。

(维吾尔族)谚语

宁先时，毋后时。

(清)陈确

对未来的最好策划，是善自处理目前，完成最近的工作任务。

(英)麦克唐纳

史学家从来就是信什么写什么，而不是有什么写什么。

(美)富兰克林

对未来真正的慷慨，是将所有给予现在。

(法)卡缪

未来只是从另一扇门进来的另一个过去而已。

(英)皮尼洛

未来是现在的另一个名称。

(美)米德

生命中没有一分一秒堪供我们丧失。

(英)莎士比亚

生活始终朝着未来，而悟性则经常向着过去。

(以色列)阿巴·埃斑

让今日用回忆拥抱着过去，用希望拥抱着将来。

(黎巴嫩)纪伯伦

白日无定影,清江无定波。

（唐）聂夷中

白日去如箭,达者惜分阴。

（宋）朱敦儒

白日莫闲过,青春不再来。

（唐）林宽

圣人不贵尺之璧,而重寸之阴。

（汉）刘安

节约时间就是延长生命。

（西班牙）谚语

"老化"是一种不分年龄的情绪,随时都能侵袭我们。

（英）佛斯特

争取时间,而勿为时间所乘。

（美）富兰克林

任何一种对时间的点滴浪费,都无异于一种慢性的自杀。

（现代）茅以升

伟大的思想不会因为时间流逝而衰老。

（英）斯迈尔

充分地意识过去,我们才可以认识现在。

（俄）赫尔岑

光阴如利刃,时刻在割断人的生命。

(印度)瓦鲁瓦尔

在人的一生中,同样的时光永不复回。

(英)史·艾略特

岁月赐予我们生命的同时,就开始把它索回。

(古罗马)塞内加

年龄不能表示人的老少,你不须因韶光推移而自伤老大。

(英)莎士比亚

当友人说你还年轻时,你可以知道他认为你已开始老了。

(美)欧文

百年能见日,忍不惜光阴。

(唐)社荀鹤

过去是未来最好的预言家。

(英)拜伦

过去属于死神,未来属于自己。

(英)雪莱

忘记今天的人将被明天忘掉。

(德)歌德

我如果无所事事的过了一生,自己就觉得好像犯了盗窃罪。

(法)拿破仑

把握住今天,胜过两个明天。

(苏联)谚语

抓住今天,才能不丢失明天。

(菲律宾)谚语

时间可以创造奇迹。

(瑞典)谚语

时间并没有一种标示来烙印它经过的痕迹,也不会有雷雨或喇叭的吹奏来宣称它新的月份,或年度的来临。

(德)托马斯·曼

时间的最大损失是拖延与期待,倚赖将来。

(古罗马)辛尼加

不要为以往的成就沾沾自喜,更不要对昔日的失败耿耿于怀。

(美)莫尔兹

时间是人所拥有的全部财富,任何财富都是时间与行动结合之后的成果。

(法)巴尔扎克

时间是良师。

(保加利亚)谚语

时间是变化的财富。

(印度)泰戈尔

时间是最好的老师。

(阿拉伯)谚语

时间胜过宝石。

(巴基斯坦)谚语

时间悄悄地、慢慢地摧毁一切。

(土耳其)凯米尔

时间能使隐匿的东西显露，也能使灿烂夺目的东西黯然无光。

(古罗马)贺瑞斯

时间能矫正我们谬误的见解，能考验真理与爱情，它是世间仅有的哲人。

(英)拜伦

运气是一颗星宿，金钱是一种玩物，时间却是一个讲故事的人。

(美)桑德堡

时间能揭露任何诺言。

(美)谚语

时间像弹簧，可以缩短，也可以拉长。

(柬埔寨)谚语

时间就是生命，时间就是速度，时间就是力量。

(中国)郭沫若

时间就像海绵里的水一样,只要你愿挤,总还是有的。

(中国)鲁迅

时间搬走万物,连你的心也不例外。

(古罗马)维吉尔

没有任何人能唤回昨天。

(汉族)谚语

男人的年龄由自己来感觉,女人的年龄由别人来感觉。

(英)柯林斯

究天人之际,通古今之变。

(汉)司马迁

使时间短促的是活动,使时间漫长难忍的是安逸。

(德)歌德

彼一时也,此一时也,岂可同哉?

(汉)班固

忽视当前一刹那的人,等于虚掷了他所有的一切。

(美)富兰克林

放弃时间的人,时间也会放弃他。

(英)莎士比亚

知道怎样静候时机,是人生成功的最大秘诀。

(法)谚语

政不可悔,时不可失。

《后汉书》

青春虚度无所成,白首衔悲亦何及。

(唐)杜德舆

将来是现在的将来,于现在有意义,才于将来会有意义。

(现代)鲁迅

胜利者往往是在坚持最后五分钟的时间中得来成功。

(英)牛顿

要成功一件事业,必须花掉毕生的时间。

(荷兰)列文虎克

要知事,须遵史。

(清)李光庭

要知道,只有眼前的时间才属于人类。

(英)塞·约翰逊

要能预见未知,我们必须从研究已知的事开始。

(法)左拉

选择时间就是节省时间。

(英)培根

钦佩过去只能把你自己弄得筋疲力尽,退化没落,备受糟蹋。

(意大利)马里内蒂

除了聪明没有别的财产的人，时间是唯一的资本。

(法)巴尔扎克

浪费时间是所有支出中最奢侈最昂贵的。

(美)富兰克林

爱惜芳时，莫待无花空折枝。

(宋)欧阳修

谁对时间越吝啬，时间对谁就越慷慨。

(汉族)谚语

聪明人对现在与未来的事，唯恐应付不暇，对既往的事，岂能再去计较。

(英)培根

欲知过去之因，请看现在之果；欲知未来之果，请看现在之因。

(日本)《保元物语》

随时光而流逝的，既已流逝，莫去想它。

(古希腊)荷马

普通人耗神于如何打发时间，精干的人却耗神于如何有效利用时间。

(德)叔本华

最拙于运用时间的人，总是为时间的快如闪电而大发牢骚。

(法)布吕歇尔

错过的时机，就是泼出去的水。

（西班牙）谚语

唯一"存在"的是现在。

（希腊）库里西坡斯

时不可及，日不可留。

墨翟

圣人不贵尺之璧而重寸之阴，时难得而易失也。

《淮南子·原道训》

时过然后学，则勤苦而难成。

《礼记·学记》

往者不可谏，来者犹可追。

《论语·微子》

望崦嵫而勿迫。

屈原

得时不怠，时不再来。

《国语·越语》

夫功者，难成而易败；时者，难得而易失也。

司马迁

日月不肯迟，四时相催迫。

陶渊明

志士惜日短，愁人知夜长。

　　　　　　　　　　　傅玄

三万六千日，夜夜当秉烛。

　　　　　　　　　　　李白

一年之计在于春，一日之计在于晨。

　　　　　　　　　　　萧绎

人生百年几今日？今日不为真可惜。

　　　　　　　　　　　文征明

自修自修，益处自家求。一刻千金，勿把韶光丢。

　　　　　　　　　　　胡祖德

赢得时间的人就是赢得了一切。

　　　　　　　　　　　迪斯累里

记住，时间是金钱。

　　　　　　　　　　　富兰克林

快快开始生活吧！要把每一天当作一生来度过。

　　　　　　　　　　　塞内加

合理安排时间，就等于节约时间。

　　　　　　　　　　　培根

不要懒懒散散地虚度生命。

　　　　　　　　　　　贝多芬

我从来不认为半小时是微不足道的很小一段时间。

　　　　　　　　　　　　　　　　　　　　　达尔文

别把时间消磨在你的梳妆上了。

　　　　　　　　　　　　　　　　　　　　　泰戈尔

别浪费时间，因为生命是时间铸成的。

　　　　　　　　　　　　　　　　　　　　　富兰克林

所谓没有时间，是因为没有很好地利用它。

　　　　　　　　　　　　　　　　　　　　　托·富勒

身处竞争激烈的社会里，分秒必争是获胜的关键。

　　　　　　　　　　　　　　　　　　　　　米·史雷夫

人生直作百岁翁，亦是万古一瞬中。

　　　　　　　　　　　　　　　　　　　　　杜牧

莫等闲，白了少年头，空悲切。

　　　　　　　　　　　　　　　　　　　　　岳飞

今日得今日，今日何其少！今日又不满，此事何时了？

　　　　　　　　　　　　　　　　　　　　　文嘉

寸阴可惜，曷敢从容。

　　　　　　　　　　　　　　　　　　　　　李贽

长绳难系日西沉，尺璧谁能买寸阴？

　　　　　　　　　　　　　　　　　　　　　袁枚

志士惜年,贤人惜日,圣人惜时。

魏源

重复言说多半是一种时间上的损失。

培根

选择时间就等于节省时间。

培根

不教一日闲过。

齐白石

完成工作的方法是爱惜每一分钟。

达尔文

谁虚度年华,青春就要褪色,生命就会抛弃他们。

雨果

善于利用时间的人,永远找得到充裕的时间。

歌德

任何节约归根结底是时间的节约。

马克思

节约劳动时间就是等于发展生产力。

马克思

青春啊，永远是美好的，可是真正的青春，只属于这些永远力争上游的人，永远忘我劳动的人，永远谦虚的人！

> 雷锋

青年是人类的希望。

> 巴金

青年是时代的先锋，先锋责任的完成，只有从斗争中锻炼可以得到。

> 陈毅

青年是革命的柱石，青年是革命果实的保卫者，是使历史加速向美好的世界前进的力量。

> 宋庆龄

人世间，比青春再可宝贵的东西实在没有，然而青春也最容易消逝。最可宝贵的东西却不甚为人所爱惜，最易消逝的东西却在促进它的消逝。

郭沫若

我又愿中国青年只是向上走，不必理会这冷笑和暗箭。

鲁迅

青春的美丽与珍贵，就在于它的无邪与无瑕，在于它的可遇而不可求，在于它的永不重回。

席慕蓉

青春是生命中最美好的一段时间。

黑格尔

青年盲目而又不盲目；在平时他不免盲目，但在非常时期他永远是不盲目的。

闻一多

青年人追求的是满足自己多种多样的愿望。做自己喜欢做的事情，爱荣誉，特别是好胜。

鲁迅

谁都要讲求修养，青年正当发展成长的旺盛时期，尤其要讲求。

叶圣陶

青春即使在痛苦之中也闪耀着它的华彩。

雨果

年轻的心很容易被进步的、正义的思想所感动,被献身的热情所鼓舞。

巴金

世界是你们的,也是我们的,但是归根结底是你们的。你们青年人朝气蓬勃,正在兴旺时期,好像早晨八、九点钟的太阳,希望寄托在你们身上。

毛泽东

年轻人永远怀着高飞的雄心,因此哪怕一线的光明和希望也可以鼓舞他们走很远的路程。

巴金

当青年人肩上的重担忽然卸去时,他勇敢的心便要因着寂寞而悲哀了!

冰心

大胆的想象,不倦的思索,一往直前的行进,这才是青春的美,青春的快乐,青春的本身。

郭小川

青春之所以美好,就因为它能追求!青春之所以幸福,就因为它有前途!

叶辛

青年人有的是健康,因而他也就浪费健康。一旦觉得健康值得宝贵的时候,那犹如已经把钱失掉了的败家子,是已经失掉健康了。

郭沫若

青春是有限的,智慧是无穷的,趁短短的青春,去学无穷的智慧。

高尔基

春天不播种,夏天就不生长,秋天就不能收割,冬天就不能品尝。

海涅

今天所做之事,勿候明天;自己所做之事,勿候他人。要做一番伟大的事业,总得在青年时代开始。

歌德

要紧的事情是别浪费你的青春和元气。

契诃夫

我们的青年是一种正在不断成长,不断上升的力量,它们的使命是根据历史的逻辑来创造新的生活方式和生活条件。

高尔基

青年,在任何困厄的处境中都有站起来的力量!

池田

大作青年长于创造而短于思考,长于猛干而短于讨论,长于革新而短于守成。

培根

青春是一个普通的名称,它是幸福美好的,但它也充满着艰苦的磨炼。

高尔基

我们青年的箴言就是勇敢、顽强、坚定。

奥斯特洛夫斯基

对于年轻人来说，过分关心自己几乎可以算是一种罪恶，或至少是一种危险。

荣格

不认识自己的幼稚的人是一点也不聪明的。对于青年人来说，这种无知是可以原谅的，虽然他们更没有理由可以骄傲并神气活现。

罗曼·罗兰

无论哪个时代，青年的特点总是怀抱着各种理想和幻想。这并不是什么毛病，而是一种宝贵的品质。

加里宁

青年人总是在希冀着什么，追求着什么，幻想着什么，但往往他们并不真正知道自己到底在渴望些什么。

屠格涅夫

青年由于对阻力和自己的缺点没有经验，很容易把事物看成是可能的，因此满怀好的希望。

阿奎

青年的特点是富于创造性，想象人也纯洁而灵活。这似乎是得之于神助的。然而，热情炽烈而情绪敏感的人往往要在中年以后方能成事，……少年老成、性格稳健的人则在青春时代就可成大器……

培根

青年的性格如同不羁的野马，藐视既往，目空一切，好走极端。勇于革新而不去估量实际的条件和可能性，结果常因浮躁而改革不成却招致意外的麻烦。

培根

在年轻人中，好人常常显得纯朴，比较容易被狡诈者所欺，因为在他们的灵魂中没有罪恶的印象。

柏拉图

青年一代全都拥护进步。

屠格涅夫

一个人的年轻时代是诗的时代!

安徒生

青年人敏锐果敢，但行事轻率却可能毁坏大局。

培根

后生可畏，焉知来者之不如今也?

孔丘

青年是祖国的未来，科学的希望。

邓小平

常求有利别人，不求有利自己。

谢觉哉

自己活着，就是为了使别人过得更好。

雷锋

年轻朋友,让青春发出光和热吧,为人民发光发热的青春才是美丽的。

秦牧

青春是美丽的,但一个人的青春可以平庸无奇,也可以放射出英雄的火光;可以因虚度而懊悔,也可以用结结实实的步子,走到辉煌壮丽的成年。

魏巍

人从 15 岁至 30 岁,是黄金时代。一个人到了 15 岁,就应该想想自己将来要做什么样的人。

谢觉哉

青年人任重道远,要继承的不是财产而是前辈留下的尚未完成的革命事业,发扬前辈的革命精神……不仅要守业,而且要继续创业,创立共产主义之业。

徐特立

年轻人要勇敢地走自己的路,许许多多革命前辈就是从无数坎坷中锻炼出来的。

刘少奇

女孩子一定要独立,要有自己的事业,要勇敢,要敢做敢为。同时要有爱心:爱亲人,爱朋友,爱整个世界。

冰心

年轻的同志们,你们要在这方面更加努力地工作,用你们朝气蓬勃的青春力量来建设灿烂的新生活。

列宁

不经风雨,长不成大树;不受百炼,难以成钢。迎着困难前进,这也是我们革命青年成长的必经之路。有理想、有出息的青年人必定是乐于吃苦的人。

雷锋

青年们先可以将中国变成一个有声的中国。大胆地说话,勇敢地进行,忘掉了一切利害,推开了古人,将自己的真心话发表出来。

鲁迅

青年时种下什么,老年时就收获什么。

易卜生

想要奉劝青年,只用三句就够了:工作吧,再工作吧,不停地工作吧。

俾斯麦

形成这种坚定的信念:社会的物质和精神福利是他们的祖父和父亲用生命换来的,这意味着在青年身上确立对于未来的高度责任感。

苏霍姆林斯基

人正当年轻力壮,谁去想三灾六病?人正当雄姿英发,谁去想衰朽残年、奄然物化?人正当兴致勃勃、钻研学问,谁去想身后的浑浑茫茫?

赫兹里特

好朋友,要成就大事业,就要趁青年时代。

歌德

青年可以从老年身上学到他们所不具有的经验。

培根

青年人初生的热情往往因为百无聊赖而变质。

拉马丁

几乎所有的伟业都是由青年人创造的。

迪斯景里

青年期完全是探索的大好时光。

史蒂文森

给青年人最好的忠告是让他们谦逊谨慎,孝敬父母,爱戴亲友。

西塞罗

人在年轻的时候应该浪迹天涯,用心去领略异国的风土人情,去倾听子夜的钟乐。

史蒂文森

要生活过得好,一个人年轻时应有老年人的经验,老年时应有年轻人的活力。

斯塔尼斯

少年有老成之识见,老成人须有少年之襟怀。

张潮年

青年人敏锐果敢,但行事轻率却可能毁坏大局。

弗·培根

青春应该是一头醒智的狮,一团智慧的火!醒智的狮,为理性的美而吼;智慧的火,为理想的美而燃。

哥白尼

虽有神药,不如少年。少年之情,欲收敛不欲豪畅,可以谨德;老人之情,欲豪畅欲郁闷,可以养生。

吕坤

人不会抱怨自己如花似玉的青春,美丽的年华对他们来说是珍贵的,哪怕它带有各种各样的风暴。

乔治·桑

少年好似一位快乐的君主;不问天有多高,也不知人间尚有烦扰;只想摘下天上的星月,铺一条光明的道路。

尚·拜尔

春天啊,风华少年,既缺乏经验,又固执任性!

泰戈尔

我早就很希望中国的青年站出来,对于中国的社会,文明,都毫无忌惮地加以批评。

鲁迅

青年人充满活力,像春水一样丰富。

拜伦

青年人持久地处于一种类似陶醉的状态中,因为青春时代是甜蜜的,而且是在成长中。

亚里士多德

青年是学习智慧的时期,老年是付诸实践的时期。

卢梭

一个年轻人,心情冷下来时,头脑会变得健全。

巴尔扎克

青年的主要任务是学习。

朱德

自信和希望是青年的特权。

大仲马

青年即使有缺点,不久也自会消失。

罗威尔

青年,就像春天,是一个被过分溢美了的季节。

巴特勒

星星只能白了青年人的头,不能灰了青年人的心。

冰心

青年应当有朝气,敢作为。

鲁迅

谁能保持永远的青春,便是伟大的人。

歌德

没有青春的爱情有何滋味?没有爱情的青春有何意义?

拜伦

啊!青春,青春!或许你美妙的全部奥秘不在于能够做出一切,而在于希望做出一切。

屠格涅夫

青春啊,难道乐于始终囚禁在狭小圈子里?你得撕破老年的蛊惑人心的网。

泰戈尔

我们还年轻,我们不是怪物,也不是傻子,我们自己来争取自己的幸福吧!

屠格涅夫

青春这玩意儿真是妙不可言,外部放射出红色的光辉,内部却什么也感觉不到。

萨特

青春在它即将逝去的时候最具魅力。

塞涅卡

青春是惟一值得拥有的东西。

王尔德

青春是一本太仓促的书。

席慕蓉

青春在人的一生中只有一次,而青春时期比任何时期都最强盛、最美好,因此千万不要使自己的精神僵化,而把青春保持永远。

别林斯基

青春是不耐久藏的东西。

莎士比亚

有了钱，在这个世界上可以做很多事，但无法用来赎买青春。

雷蒙德

一个民族的年轻一代人要是没有青春，那就是这个民族的大不幸。

赫尔岑

如果随着青春消逝的只是好的东西，那么这人生剩下的年岁就会极其难熬。

屠格涅夫

青春是有限的，智慧是无穷的，趁短短的青春，去学习无穷的智慧。

高尔基

青春——是无法挽回的，美丽——那优美的灵魂像影子一般来了不去，然而这两个东西是火焰也是风暴。

德莱塞

得到智慧的惟一办法，就是用青春去买。

杰克·伦敦

青春是人的一生中最美好的年岁。它是一个人的生命含苞待放的时期，生机勃发、朝气蓬勃；它意味着进取，意味着上升，蕴含着巨大希望的未知数。

岑桑

青春是为一生奠定基础的时期。

池田

大作青春是美妙的，挥霍青春就是犯罪。

萧伯纳

青春的特征乃是动不动就要背叛自己，即使身旁没有诱惑的力量。

莎士比亚

创造一切非凡事物的那种神圣的爽朗精神总是同青年时代和创造力联系在一起。

歌德

青春像夏日的清晨，衰老像冬令。

莎士比亚

青春是人生之花，是生命的自然表现。

池田

青春是块原料，迟早要制作成形。

莎士比亚

大作人人都有惊人的潜力，要相信你自己的力量与青春，要不断地告诉自己："万事全赖在我。"

纪德

即使青春是一种错误，也是一种迅速得到纠正的错误。

歌德

青春须早为,岂能长少年?

孟郊

一生最好是少年,一年最好是青春,一朝最好是清晨。

李大钊

当青春的光彩渐渐消逝,永不衰老的内在个性却在一个人的脸上和眼睛上更加显示地表露出来,好像是在同一地方久住了的结果。

泰戈尔

要爱惜自己的青春!世界上没有再比青春更美好的了,没有再比青春更珍贵的了!青春就像黄金,你想做成什么,就能成为什么。

高尔基

青春是一种不断的陶醉,是理性的热病。

拉罗什福科

青春是人生最快乐的时光,但这种快乐往往完全是因为它充满着希望,而不是因为得到了什么或逃避了什么。

卡莱尔

青春和悲哀首先要抒发过剩的叹息和泪水,才能把浪漫史的扁舟漂送到欢愉海岛间的港湾。

欧·亨利

青春时期,不是对人怀抱仇恨而是对人十分仁慈和慷慨的时期。

卢梭

青年人较适于发明而不适于判断；较适于执行而不适于议论；较适于新的计划而不适于惯行的事物。

弗·培根

不要害怕抓住幸福，也不要回避灾难，应该正面迎击，这是青年人特有的本色。

武者小路实笃

年轻人根据其血液的热度改变他的趣味，老年人则根据习惯保持他的趣味。

拉罗什福科

最可宝贵的东西却甚为人所爱惜，最易消逝的东西却在促进它的消逝。

郭沫若

青年是我们的未来，是我们的希望。青年应当接替我们的老年人。青年应当举起我们的旗帜直到胜利的终点。

斯大林

青年的思想愈被范例的力量所激励，就愈会发出强烈的光辉。

法捷耶夫

孩子们，不要害怕现实，不要向现实低头，你们来到这世界，不是为了要服从老朽的东西，而是要创造新的、有理智的、光辉的东西。

高尔基

我们是青年，不是畸人，不是愚人，应当给自己把幸福拿过来。

屠格涅夫

青年人的眼中闪烁着火焰，老年人的眼中闪烁着光辉。

雨果

青年时期是豁达的时期，应该利用这个时期养成自己豁达的性格。

罗素

青年之文明，奋斗之文明也，与境遇奋斗，与时代奋斗，与经验奋斗。故青年者，人生之王，人生之春，人生之华也。

李大钊

斗争的生活使你干练，苦闷的煎熬使你醇化；这是时代要造成青年为能担负历史使命的两件法宝。

茅盾

勇敢产生在斗争中，勇气是在每天对困难的顽强抵抗中养成的。我们青年的箴言就是勇敢、顽强、坚定，就是排除一切障碍。

奥斯特洛夫斯基

岁月如流水，不断地逝去却又源源而来，惟有青春一去不复返。

易卜生

青春即使在痛苦之中也闪耀着它的华彩。

雨果

那真正的青春，贞洁的妙龄的青春，全身充满了新血液，体态轻盈而不可侵犯的青春，这个时期只有几个月。

罗丹

　　我们的一切损失均可补救，我们的任何痛苦都可安慰，但当青春之作别的时候，它从我们心上把一些东西带走，并且永远也不会回头。

桑塔亚

爱国篇

天下兴亡,匹夫有责。

吴趼人:《痛史》

位卑未敢忘忧国。

陆游:《病起书怀》

国人无爱国心者,其国恒亡。国人无自觉心者,其国亦殆。二者俱无,国必不国。

陈独秀:《爱国心与自觉心》

我们中华民族有同自己的敌人血战到底的气概,有在自力更生的基础上光复旧物的决心,有自立于世界民族之林的能力。

毛泽东:《论反对日本帝国主义的策略》

以国家之务为已任。

韩愈:《送许郢州序》

我以我血荐轩辕。

鲁迅:《自题小像》

一寸赤心惟报国。

陆游:《江北美取米》

国也者;私爱之本位,而博爱之极点。

梁启超:《新民说》

在任何凌辱面前,捍卫祖先的甲胄!

雨果:引自《雨果传》

别问国家能为你做些什么,先问问你自己能为国家做什么。

肯尼迪:《就职演说》

我重视祖国的利益,甚于自己的生命和所珍爱的儿女。

莎士比亚:《科利奥兰纳斯》

必须经过祖国这一层楼,然后才能达到人类的高度。

罗曼·罗兰:《日记》

自由、祖国,唯有你们才是我的信念!

雨果:引自《雨果传》

真理决不能和祖国分开,这两种事业是合二为一的。

罗曼·罗兰:《母与子》

人总是背负着自己的祖国和自己的憎恨到处走着。

巴尔扎克:《情妇》

那些背弃祖国、投奔异邦的人,既不受异邦人的尊敬,又为同胞所唾弃。

伊索:《伊索寓言》

一个反叛祖国的人从来不能称为英雄。

雨果:《九三年》

人必自侮然后人侮之,家必自毁然后人毁之,国必自伐然后人伐之。

孟轲:《孟子》

未收天子河湟地,不拟回头望故乡。

令狐楚:《少年行四首》

苟利国家生死以,岂因祸福避趋之?

林则徐:《赴戍登程口占示家人》

大丈夫当不为情死,不为病死,当手杀国仇以死。

黄兴:《黄兴集·为吴池题词》

爱祖国,首先要了解祖国;不了解,就说不上爱。

任继愈:《爱祖国是学习真正动力》

一个人只要热爱自己的祖国,有一颗爱国之心,就什么事情都能解决。什么苦楚,什么冤屈都受得了。

冰心:《冰心散文选》

一个青年学生的爱国,真有如一个青年姑娘初恋时那样的真纯入迷。

方志敏:《可爱的中国》

恨不抗日死,留作今日羞。国破尚如此,我何惜此头!

吉鸿昌:《就义诗》

当他爱他的国家的时候,他的国家也尊重他。

莎士比亚:《科利奥兰纳斯》

黄金诚然是宝贵的,但是生气蓬勃、勇敢的爱国者却比黄金更为宝贵。

林肯:《林肯传》

多么遗憾,我们只能为祖国献身一次!

爱迪生:《卡托》

亡了国当了奴隶的人民,只要牢牢记住他们的语言,就好像拿着一把打开监狱大门的钥匙。

都德:《最后一课》

人类最高的道德是什么?那就是爱国心。

拿破仑:见《拿破仑传》

为朋友不怕两肋插刀,为祖国不怕献出生命。

贺拉斯:《颂诗集》

国耳忘家,公耳忘私。

班固

捐躯赴国难,视死忽如归。

曹植

贤者不悲其身之死,而忧其国之衰。

苏洵

生无以救国难,死犹为厉鬼以击贼。

文天祥

一寸山河一寸金。

脱脱

成败利钝不计较,但持铁血主义报祖国。

秋瑾

民存则社稷存,人亡则社稷亡。

《群书治要·申鉴》

科学没有国界,科学家却有国界。

巴甫洛夫

凡是不爱自己国家的人,什么都不会爱。

拜伦

真正的爱国者是爱人类的,爱国决不是排外。

马铁丁

谁诅咒他的国家,谁就抛弃了自己的家。

高尔基

国耻未雪，何由成名？

李白

我爱我的祖国，如同爱我的家。

海伦·凯勒

祖国更重于生命，它是我们的母亲，我们的土地。

聂鲁达

爱国高于一切。

肖邦

我要把心灵里最美好的激情献给祖国。

普希金

健康的公民是一个国家所能拥有的最大财富。

丘吉尔

祖国，这个字眼包含着多少魅力啊！她是指引巡礼者的明灯，使之免于跌进深渊。

里·帕尔玛：《一吻之死》

勤俭篇

奢则不孙,俭则固。与其不孙也,宁固。

孔丘:《论语·述而篇》

俭节则昌,淫佚则亡。

墨翟:《墨子·节用下》

侈而惰者贫,而力而俭者富。

韩非:《韩非子·显学》

历览前贤国与家,成由勤俭破由奢。

李商隐:《咏史》

暴殄天物,是谓不道。

李白:《大措赋》

不节,则虽盈必竭;能节,则虽虚必盈。

陆贽:《均节赋税恤百姓第二条》

侈则多欲,君子多欲则贪慕富贵,枉道速祸;小人多欲则贪求妄用,败家丧身。

司马光:《司马温公集·训俭示康》

由俭入奢易,由奢入俭难。

司马光:《司马温公集·训俭示康》

家勤则兴,人勤则俭,永不贫贱。

曾国藩:《曾国藩家书》

文明是人类用头脑和双手造成的。

陶行知:《陶行知文集·莫轻看徒弟》

量入为出,这是生活的一大原则。赚得少花得多,难免东挪西借,一切烦恼都将由此发生。

罗兰:《罗兰小语·金钱》

谁劳动,谁就是主人!

高尔基:《小市民》

爱俭朴限制了占有欲。

孟德斯鸠:《论法的精神》

假如没有劳动这个压舱的货物,任何风暴都会把生活之船翻掉。

司汤达:《红与黑》

劳动一天,可得一夜的安眠;勤劳一生,可得幸福的长眠。

达·芬奇:《笔记》

生活的花朵只有付出了劳力才会绽开。

巴尔扎克:《乡村医生》

你想成为幸福的人吗? 但愿你首先学会吃得起苦。

屠格涅夫:《屠格涅夫散文诗》

谁在平日节衣缩食,在穷困时就容易度过难关;谁在富足时豪华奢侈,在穷困时就会死于饥寒。

萨迪:《蔷薇园》

懒惰行走得那么慢,以至于贫穷很快就赶上了它。

富兰克林:《致富之路》

懒惰像生锈一样,比操劳更能消耗身体;经常用的钥匙,总是亮闪闪的。

富兰克林:《美的追求》

幸与不幸

垂千钧之重于鸟卵之上，必无幸也。

司马迁：《史记·张仪列传》

只为自己打算的人并不幸福，幸福的是也为别人的事情打算。

泰戈尔：《五卷书》

不幸，是天才的进身之阶，信徒的洗礼之水，能人的无价之宝。

巴尔扎克

不幸的人会以别人的更大不幸来安慰自己。

伊索:《伊索寓言》

没有谁比从未遇到过不幸的人更加不幸,因为他从未有机会检验自己的能力。

塞内加:《论天命》

人在履行职责中得到幸福,就像一个人驮着东西,可心头很舒畅。要是人没有履行什么职责,就等于驾驶空车一样,也就是说,白白浪费。

罗佐夫:《途中》

真正的幸福从来就是看不见的,它隐身于无形之中。

爱·扬格:《夜思》

福祸相倚

祸难生于邪心,邪心诱于可欲。

韩非:《韩非子·解老》

祸与福相贯,生与死为邻。

《战国策·楚策四》

智者宁可防病于未然,不可治病于已发;宁可勉力克服痛苦,免得为了痛苦而追求慰藉。

托马斯·莫尔《乌托邦》

利出者福反,怨往者祸来。

刘向:《说苑·复恩》

道高益安,势高益危。

司马迁:《史记·日者列传》

怨之所生,不可类推;祸之所退,非可情测。

刘昼:《刘子·慎隙》

祸之至也,人自生之;福之至也,人自成之。

刘昼:《刘子·慎隙》

福来有由,祸来有渐;渐生不忧,将不可悔。

陈寿:《三国志·吴志·吴主五子传》

大灾大祸没有发生的时候,要防止他是容易的;到了发生之后,要扑灭他却是极难。

孙中山:《孙中山全集》

在景况好时不预先考虑将来的事情的人,在时节改变的时候会遇到很大的不幸。

伊索:《伊索寓言》

祸福同根,妖祥同域。构之所倚,反以为福;福之所伏,还以成祸。

刘昼:《刘子·祸福》

明者防祸于未萌,智者图患于将来。

陈寿:《三国志·吴志》

泰极则否,否极则泰。

司马光:《司马温公集·惜时》

天下可哀之事,未有祸乱已至而不闻,倾覆将及而不知者。

康有为:《政治集·与徐荫轩尚书书》

有利必有害,有损必有益。

谭嗣同:《谭嗣同全集·思篇》

战胜厄运

伟大的心胸,应该表现这样的气概,——用笑脸来迎接悲惨的厄运,用百倍的勇气来应付一切不幸。

鲁迅

难不贵苟免,动不贵幸成。

王豫:《蕉窗口记》

磨炼当如百炼之金。

洪自诚

奇迹多是在厄运中出现的。

培根:《培根论说文集》

苦难是人生的老师。

巴尔扎克

不幸时满怀希望,顺利时小心谨慎,这是一个人在祸福问题上应取的态度。

贺拉斯:《颂诗集》

　　幸运并非没有许多的恐惧与烦恼;厄运也并非没有许多的安慰与希望。

培根:《论困厄》

　　平静的湖面,练不出精悍的水手;安逸的环境,造不出时代的伟人。

列别捷夫

　　没有哪一个聪明人会否定痛苦与忧愁的锻炼价值。

赫胥黎:《进化论与伦理学》

　　人跌倒了还可以爬起来,挫折能使人更好地去战斗。睡着了,还会苏醒。

罗·勃朗宁:《阿斯兰多·牧场白》

　　逆运也有它的好处,就像丑陋而有毒的蟾蜍,它的头上却顶着一颗珍贵的宝石。

士比亚:《皆大欢喜》

　　人的命运一旦遇到意外,应该赶紧做好准备,意外会接连来的。这扇疯狂的门一旦被打开,怪事就都跟着来了。你的墙壁裂了一道缝,乱糟糟的事件就一拥而进。不可思议的事情是不会只发生一次的。

雨果:《笑面人》

逆运不就是性格的试金石吗?

巴尔扎克:《死冤家》

希望是厄运的忠实姐妹。

普希金:《俄国文学史》

开发智力的矿藏是少不了需要由患难来促成的。要使火药发火就需要压力。

大仲马:《基督山伯爵》

有时一个人受到厄运的可怕打击,不管这厄运是来自公众或者个人,倒可能是件好事。命运之情的无情连枷打在一捆捆丰收的庄稼上,只是把秆子打烂了,但谷粒是什么也没感觉到,它仍在场上欢蹦欢跳,毫不关心它是要前往磨坊还是掉进犁沟。

歌德:《歌德的格言和感想集》

朴素而天下莫能与之争美。

庄周：《庄子·天道》

美和丑因相互对照而显著。

达·芬奇：《论绘画》

人类一切美好的东西都来自太阳之光。没有太阳，花就不能开放；没有爱情，就没有幸福；没有女性，就没有爱情；没有母亲，就没有诗人英雄。

高尔基：《谈青年的学习、生活和美德问题》

凡美之所以感动人心者，决不能离乎人之意想。意深者动深人，意浅者动浅人。

徐悲鸿：《中国画改良论》

应提倡美育,使人生美化,使人的心灵寄托于美,而将忧患忘却。

蔡元培:《蔡元培美学文选》

真正美的东西必须一方面跟自然一致,另一方面跟理想一致。

席勒:见《古典文艺理论译丛》

魅力是女人的力量,正如力量是男人的魅力。

席勒:《唐·卡斯》

尽管我们走遍全世界去找美,我们也必须随身带着美,否则就找不到美。

爱默生:《论艺术》

美是一种心灵的体操——它使我们精神正直,心地纯洁,情感和信念端正。

苏霍姆林斯基:《教育名言集》

任何美的东西都有其时刻,之后就失去了。

塞鲁达

真正的美,正如真正的智慧一样,是非常朴素,并且是人人理解的。

高尔基:《论文学》

我们固然不能说,凡是合理的都是美的,但凡是美的确实都是合理的,至少应该是合理的。

歌德:《歌德谈话录》

美一旦到了无可挑剔的地步,那么,它本身就是缺陷。

亨·哈·埃利斯:《观点与评论》

别以为命运能支配一切,美德的力量可以使她俯首贴耳。

伊丽莎白一世:《无视命运》

美德有如宝石,最好是用素净的东西镶嵌。

培根:《培根论说文集》

美是一种善,其所以引起快感,正因为它善。

亚里士多德:《修辞学》

凡是美的,即使它在枯萎,也永远是美的。

高尔基

美如果有真来添加光辉,就会显得更美,更美多少倍。

莎士比亚

不适当的美丽会给自己招来耻辱。

伊索

美是惟一不受时间伤害的东西。

王尔德

如果把灵魂剔掉,美就不能给人以安慰。

约翰·高尔斯华绥

慈善的心灵的美德,不是双手的美德。

艾迪生

美是到处都有的。对于我们的眼睛,不是缺少美,而是缺少发现。

> 罗丹:《罗丹艺术论》

魅力是女人的力量,正如力量是男人的魅力。

> 席勒

美不应当美在天然上,而应当美在灵魂上。

> 契诃夫

爱以身为天下,爱可托天下。

> 《老子·十三章》

人体美是美中之至美,美的东西是不为涂鸦而失去其美的色泽的。

> 刘海粟:《漫话人体艺术》

真正美丽的人是不多施脂粉,不乱穿衣服的。

> 老舍:《我怎样学习语言》

你不要忘了我最喜欢的一句箴言:“自然总是美的。”

> 罗丹:《罗丹艺术论》

一个女人只有通过一种方式才能是美丽的,但是她可以通过十万种方式使自己变得可爱。

> 孟德斯鸠:《论趣味》

论起美来,状貌之美胜于颜色之美,而适宜并优雅的动作之美又胜于状貌之美。美中之最上者就是图画所有不能表现,初睹所不能见及者。没有一种至上之美是在规模中没有奇异之处的。

培根:《培根论说文集》

你可以从外表的美丽来评论一朵或一只蝴蝶,但你不能这样来评论一个人。

泰戈尔

男人身上最受重视的是男子气概,女人身上最受重视的是女性温柔。

瓦西列夫:《情爱论》